ТЕТРАДЬ

Советы мудрой ***свекрови***

Мария Метлицкая

Советы мудрой *свекрови*

Цветы нашей жизни

Москва
2016

УДК 821.161.1-31
ББК 84(2Рос=Рус)6-44
М 54

Художественное оформление серии,
иллюстрации в тексте, на переплете и форзацах
Петра Петрова

Метлицкая, Мария.

М 54 Цветы нашей жизни / Мария Метлицкая. — Москва : Издательство «Э», 2016. — 192 с. — (За чужими окнами. Советы мудрой свекрови).

ISBN 978-5-699-85167-6

Как вы догадались по названию, эта книга о самом дорогом, что у нас есть, — о детях. Почти все женщины считают рождение детей главным и самым счастливым событием своей жизни. Потому что все: и недосып, и размолвки с мужем, и страдания из-за испорченной фигуры — ерунда по сравнению со счастьем, когда взрослый сын говорит: «Мама, я тебя люблю». Или, рассказывая о девочке, которая ему очень нравится, вскользь замечает: «А еще она очень похожа на тебя». Или с гордостью, когда подросшая дочь делится с тобой своими секретами и ты в ней узнаешь себя — такую романтичную, уверенную, что впереди только счастье.

Я искренне желаю вам, мои читательницы, чтобы это предчувствие счастья не оставляло вас никогда. И не бойтесь трудностей — их можно преодолеть, когда знаешь, ради чего.

Ваша Мария Метлицкая

УДК 821.161.1-31
ББК 84(2Рос=Рус)6-44

ISBN 978-5-699-85167-6

Ну здравствуйте, дорогие мои!
Тем, кто со мной пока незнаком, представлюсь: Мария Метлицкая.
Как любят меня представлять в родном издательстве, автор душевных рассказов и романов о самых обычных людях. Это абсолютная правда. Одна из первых моих книг так и называлась: «Наша маленькая жизнь». Жизнь обычных людей мне действительно интереснее жизни олигархов или, скажем, богемы. Я ведь тоже — самый что ни на есть обычный человек. Живу такой же жизнью, что и вы. Я тоже жена, мама и бабушка. И так же провожу много времени у плиты, чтобы побаловать домашних вкусным обедом, так же решаю их многочисленные проблемы, у меня так же болит сердце за них, и я стараюсь сделать все возможное, чтобы в доме у меня было вкусно, уютно, чтобы не было напряжения, чтобы все друг друга любили, уважали и берегли.

В предыдущей книге «Советов» мы с вами успели поговорить обо всем понемногу: и о мужьях, и о детях, и о свекровях. А сейчас предлагаю поговорить о детях подробнее. Почему – думаю, понятно. Кстати, мы по-прежнему на ты, договорились? Так проще, мне кажется, обсуждать самое насущное, то, чего не доверишь иногда даже маме или любимой подруге.

Отношения с собственным ребенком выстраиваются годами, а разрушить их можно в одночасье. Достаточно дать повод заподозрить тебя в неискренности, в том, что ты по другую сторону баррикад. Это только кажется, что, родив ребенка, мы получаем пожизненную индульгенцию: говорю что хочу, делаю что хочу – он (она) меня поймет и простит. Увы, наступает время, когда кредит доверия исчерпывается. Опытные родители знают, что такое подростковый возраст, когда ваш нежный цветок, который всегда покладисто выполнял ваши просьбы, безоговорочно вам доверял и каждое ваше слово воспринимал как аксиому, становится колючим ежом. Когда все слова он начинает воспринимать в штыки, хамит, обязательно на ваше «да» говорит «нет», на «черное» – «белое» и так далее. И вот к этому-то моменту нужно, чтобы ваши отношения были настолько доверительными, чтобы та ниточка, которая между вами существовала всю жизнь, не порвалась.

Отношения с ребенком, как бы цинично это ни прозвучало, важнее даже отношений с мужем: с мужем, если совсем невмоготу, ушли взаимопонимание и чувства, можно и развестись. С ребенком развестись нельзя.

Но мы как раз и поговорим о том, что делать, чтобы с мужем не развестись, контакт с ребенком не потерять и прожить с ними в мире и согласии.

СОВЕТ ПЕРВЫЙ

Пусть муж принимает участие в воспитании с первых дней

Знаете, меня всегда удивляет такая мужская позиция: вот пока это существо в пеленках, я к нему подходить не стану. Толку с него никакого: ни в футбол поиграть, ни пива выпить, ни в баню сходить. Вот когда он станет мне компаньоном во всех этих мужских суровых развлечениях, тогда я, пожалуй, начну с ним общаться.

Глупость несусветная, уж простите за резкость. При таком раскладе ребеночек папу-то и не узнает, не поймет, что за чужой мужик его приглашает в баню или зовет на футбол. И кстати, интересно: а что делать, если родится девочка? Вот ведь удар судьбы: ни тебе в баню, ни тебе на футбол...

Муж – не второй твой ребенок, а такой же родитель, как ты.

Многие женщины культивируют в мужчинах убежденность, что те сами – дети. Только что разглядывала глянцевый журнал, а там яркий заголовок: «Собираетесь в отпуск? На кого оставить мужа?» Вот то ли речь о несовершеннолетнем идет, то ли вовсе о домашнем животном. Как будто муж – человек беспомощный и в отсутствие жены непременно будет ходить голодным, заросшим, в грязной одежде – потому что в кухню он привык заходить, только чтобы поесть, к стиральной машине приблизиться боится, о существовании в доме посудомойки подозревает, но пользоваться ею не решится. А того хуже, почувствовав свободу, нашкодит, хорошо если не спалит квартиру.

Есть мужчины (я таких знаю и уверена, вам тоже подобные экземпляры попадались), которые встречают сообщение о грядущем отцовстве без энтузиазма, потому что – внимание! – боятся, что теперь все внимание жены будет переключено на ребенка. Конечно, кто ж тебе, сердечному, теперь кашку сварит и пеленки поменяет! У твоей жены теперь младшенький есть! О таких мужчинах и говорить не хочется – здесь все понятно, диагноз, так сказать, ясен.

Но и «нормальные» мужики, которые заботятся о жене, сознательно хотят детей и готовы нести ответственность за семью, теряются при виде младенца, не знают, с какого бока к нему подойти, как взять, как положить и вообще – что с ним, кричащим, делать. И это вполне объяснимо. Рождение ребенка – огромный стресс для женщины, но и для мужчины это тоже стресс, да еще какой! И если мужчине с первых дней жизни ребенка внушить, что он не умеет купать, кормить, пеленать, что ему нельзя доверить поменять памперс и т.д., он в это поверит.

Делитесь с мужем родительскими обязанностями!

И постепенно внутри семьи появятся «фракции» – мать, и дитя, и он, отец семейства, который никому не нужен, только мешается под ногами. Ну разве что пользы – зарплату получает. Такой ходячий кошелек.

Вот тут и начинаются посиделки с друзьями, частые командировки, а там, глядишь, и дама подвернется, которая не измучена бессонными ночами и не погружена в проблемы грудного вскармливания. Так что не узурпируйте право ухаживать за этим крикливым созданием. Делитесь этим правом с его отцом.

Мужчины, конечно, с Марса, как нас убеждают статьи в глянцевых журналах и даже умные книги по психологии. Но и на Марсе может быть жизнь — в смысле, и мужчины бывают заботливыми родителями.

Паше не везло с ранней молодости: что ни девица — то либо стерва, либо вертихвостка, а чаще и то, и другое сразу. Главное, сам-то Паша был парень хоть куда: стройный, в меру накачанный, улыбчивый, добрый. Может, потому, что добрый, так все и происходило — не мог он отпор дать, прикрикнуть, кулаком по столу стукнуть. И потом, очень был влюбчивым. А уж если полюбит — все, из него можно веревки вить. Что

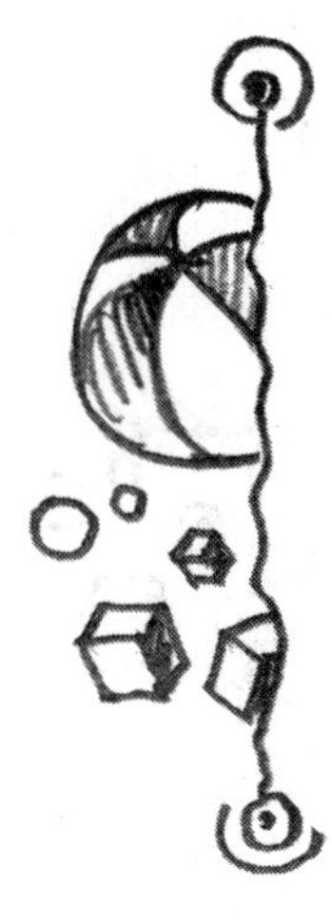

представительницы прекрасного пола с успехом и делали.

Больше всех в этом деле преуспела его первая жена, Ритка. Познакомились они в институте — Паша учился в педе на факультете физкультуры, а Ритка после училища поступила на факультет начальных классов. Была она красивой — что есть, то есть: каштановая коса ниже пояса, огромные миндалевидные глаза, рост, стать — все при ней. Паша как увидел ее — запал сразу. Ухажеры вокруг Ритки вились тучей, она ими помыкала как хотела — кто лекции ей переписывал, кто у метро встречал. Те, что побогаче, в ресторан водили. Она все это воспринимала как должное, с царской невозмутимостью. Она вообще любила повторять: «Все люди как люди, одна я царица». Чего Пашке стоило всех ее ухажеров отвадить — одному ему известно. Поженились они очень скоро, Пашка привел жену домой.

Жил он с матерью, медсестрой в больнице. Валентина Михайловна его всю жизнь растила одна, недосыпала, недоедала, во всем себе отказывала. Сына она обожала, души в нем не чаяла. Ритка ей не понравилась сразу — мать такое сразу видит. Конечно, она пробова-

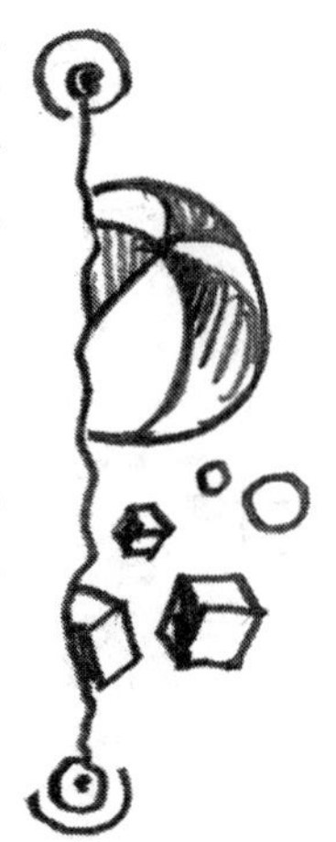

ла поговорить с Пашкой, вправить ему мозги, но все без толку — он был как пьяный, перед глазами все время Ритка стояла — глаза ее с поволокой, усмешка. При мысли, что она сейчас с другим, в висках начинало стучать, кулаки сами собой сжимались. Мать поняла, что Пашку надо оставить в покое — свою голову ему не приставишь, а отношения испортишь. А еще она поняла, что жить с Риткой не сможет. Никогда. И съехала сначала к сестре, а потом стремительно вышла замуж за вдовца, который давно к ней подбивал клинья. Пашка, кажется, и не заметил, что мать в их квартирке больше не появляется. Он жил как в угаре. Любой Риткин каприз выполнял, только что тапочки ей в зубах не притаскивал. Продолжалось это почти полгода. За это время Пашка успел накопить столько хвостов в институте, что угроза отчисления стала абсолютно реальной. И что тогда? Армия? Два года не видеть Риту? Ну уж нет! Говорят, что в минуту смертельной опасности человек способен на суперпоступки: перемахнуть через забор с него ростом, пройти босиком по стеклу. Вот, видимо, перспектива потерять жену была для Паши такой смертельной опасно-

стью, потому что то, что он закрыл все задолженности и сдал все экзамены, иначе как чудом не назовешь. Но только Ритку он все равно потерял — в один совсем не прекрасный день она ему объявила, что уходит к другому, потому как его, Пашу, разлюбила, никаких чувств к нему не испытывает, и никаких обязательств по отношению к нему у нее нет.

После ее ухода Пашка запил. Сидел один на кухне и методично вливал в себя все спиртное, что мог достать. Уговоры друзей забыть «эту змею подколодную» и «суку страшную» он пропускал мимо ушей, а за «суку» лучшему другу Сереге даже пытался дать по морде, правда, не получилось, потому что был в таком состоянии, что, привстав со стула, тут же потерял равновесие и рухнул, стянув попутно скатерть, и все бутылки, рюмки и стаканы, а также окурки и объедки посыпались на пол. Серега плюнул и ушел, не в силах видеть это скотство. Мать, когда узнала, что происходит с ее любимым Пашенькой, немедленно примчалась, вызвала знакомых врачей, те поставили капельницу, «почистили» его. Но лучше не стало — теперь Пашка лежал на диване и бессмысленным взглядом пялился на обои — веселенький рисуночек, клеил перед свадьбой, чтобы Ритке понравилась скромная комнатка. Мать задвинула гордость подальше и — чего не сделаешь ради сыночка — поехала к бывшей невестке, подкараулила ее во дворе института. Ритка вышла румяная, довольная, громко смеясь, рассказывала что-то подружкам. Увидев свекровь, остановилась, лицо у нее стало злое, глаза сузились.

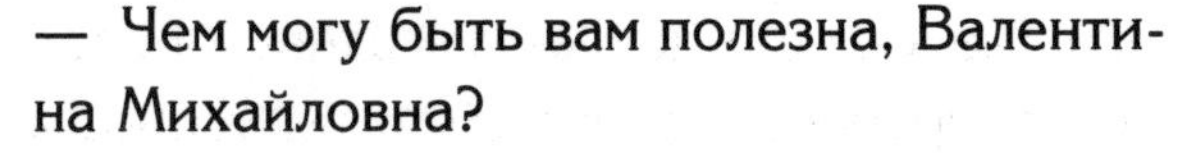

— Чем могу быть вам полезна, Валентина Михайловна?

Видно, готовилась, перед зеркалом репетировала. Пашкина мать ожидала, что Ритка ей не обрадуется. Но злость, с которой были произнесены эти слова, ее обескуражила. Валентина Михайловна стала что-то беспомощно бормотать, потом окончательно растерялась, губы задрожали, из глаз потекли слезы. Наконец она выдавила:

— Риточка, вернись к Павлику! Плохо ему без тебя! Ну нельзя же так с человеком!

— Я полюбила другого. А сына вашего — разлюбила, — отчеканила Ритка. И издевательски добавила: — Вы ведь взрослая женщина, могли бы понять — насильно мил не будешь.

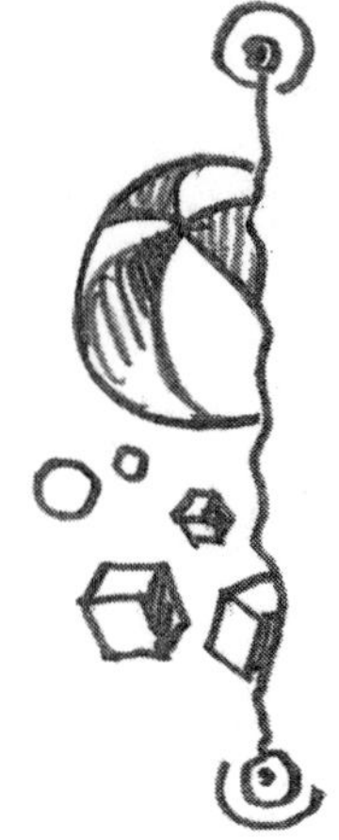

— Совести, Рита, у тебя нет! Он же все для тебя делал!

— Ну не знаю, что он там делал. Ни денег, ни радости. Эти штучки «с милым рай в шалаше» — не для меня. И вообще, мне пора идти. До свидания.

Валентина Михайловна чувствовала себя оплеванной. А главное — и сыну не помогла, и сама унизилась так, как никогда не унижалась.

Но все проходит, прошло и это. Через год Пашка стал вроде бы таким, как всегда, — обаятельным остряком, душой компании. Никто о его недолгой женитьбе не вспоминал, и казалось, он сам тоже о ней забыл.

И может, рана бы затянулась, и Пашка зажил бы, как все люди. Но известно, что Господь не посылает людям испытаний, которые те не могут выдержать. А Пашку, судя по всему, сочли там, наверху, очень выносливым. В ресторане, куда он пришел на день рождения того самого Сереги, которому когда-то по пьяной лавочке чуть было не заехал в торец, он встретил Женьку, Ритину лучшую подругу. Сначала Пашка хотел сделать вид, что ее не замечает, но Женька сама к нему подошла, пригласила танцевать и под томные звуки танго рассказала интересную историю: оказывается, Ритка с тем чуваком, к которому ушла от Пашки, больше не живет. Нашла себе вариант получше: вышла замуж за итальянца и уехала на знойную родину нового мужа.

— Меня это не интересует, — перебил ее Пашка, но Женька быстро, пока он не ушел, проговорила:

— А дочку твою она в роддоме оставила.

— Какую дочку, что ты несешь! — Паша вроде бы наблюдал все происходящее со стороны. Ему хотелось, чтобы всего этого не было. Чтобы ресторан, люди, а главное, Женька провалились куда-нибудь в тартарары. Чтобы все это оказалось глупым, страшным сном. Сном! Который рано или поздно заканчивается. Но Женька была настоящая, а значит, и дочка — тоже настоящая?!

Пашка понял, что веселиться больше не может. Ему надо было подумать.

И опять он лежал на диване, уставившись в обои, опять мать, которая уже было выдохнула и зажила более-менее спокойно со своим вдовцом, пыталась понять, что происходит с ее сыночком. А сыночек молчал. Через пару недель он опять стал ходить в институт и даже

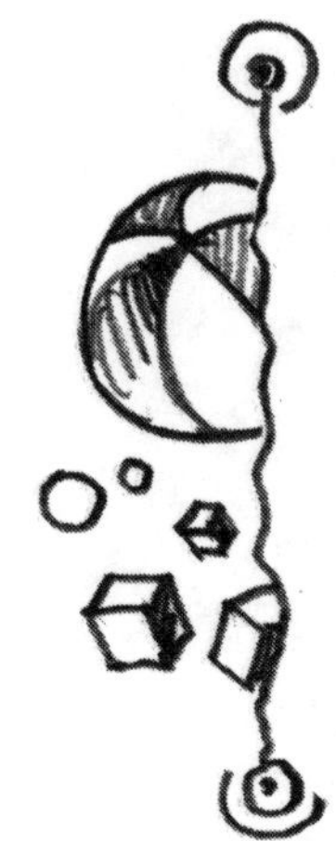

на работу — в последнее время Пашка подрабатывал инструктором по фитнесу в небольшом зальчике, который держал его приятель. Он шутил, смеялся, даже съездил к друзьям на дачу и познакомился там с отличными девчонками, у одной взял телефончик. Но ему все время казалось, что внутри его живут два человека — и пока один развлекается, другой непрерывно думает о том, что сказала Женька.

Наконец он понял, что должен с кем-то поделиться, иначе сойдет с ума. Мать беспокоить не хотелось, она разохается, расстроится, примется бестолково суетиться. И Пашка решил все рассказать Сереге.

Друг выслушал всю историю, сочувственно посмотрел на Пашку и жалостливо произнес:

— Ты с дуба рухнул? Какая дочь? Ритка твоя спала с кем ни попадя. Она и после свадьбы в чужие койки ныряла, я тебе не говорил, расстраивать не хотел, чтобы ты глупостей не наделал. От кого она залетела — это большой вопрос. Вы что с ней — того? Не предохранялись?

— Да нет, она вроде какие-то таблетки пила...

— «Какие-то», «пила»! Ну ты как дитя, ей-богу! Только если бы это был твой ребенок, она бы деньги с тебя тянула только так, не боись! Так что либо стопроцентно не твой, либо она сомневалась. Ну если ты такой совестливый, пойди сделай эту.. ну как ее.. экспертизу.

Пашка представил, как приходит в Дом малютки — или куда сдают младенцев, которые никому не нужны, — просит образец слюны, например (он видел в кино, это так делают), потом оказывается, что девочка к нему отношения не имеет, и он спокойно о ней забывает. Нет, это невозможно! Никуда он не пойдет! Нет девочки никакой! Нет и не было! И он, в конце концов, мог и не пойти в этот проклятый ресторан! Не встретить эту змею Женьку и ничего не узнать!

Пашка не был киношным героем. Он испугался — ответственности, перемен в жизни. Он хотел жить как живется. Как все — работать, учиться, ездить с друзьями на шашлыки, влюбляться в девушек.

На одной такой девушке он и женился. Лиза была милая, скромная, работала

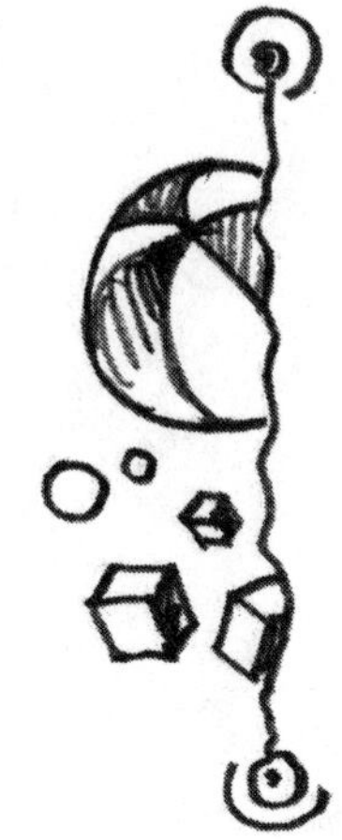

массажисткой в том же фитнес-центре, где Пашка. Ему вроде бы повезло — первый раз в жизни. Лиза не пыталась загнать его под каблук, не вела себя как принцесса, не капризничала. И очень его любила. И Пашка ее тоже любил. Им было как-то спокойно вдвоем. А потом и втроем — Лиза родила дочь Дашу, и Пашка стал самым заботливым в мире отцом. После работы бежал домой, чтобы искупать дочь и подержать ее, сонную, за ручку, дожидаясь, когда она заснет. И тихие вечера с женой на их небольшой, уютной кухне ему, похоже, стали нравиться гораздо больше шумных посиделок с друзьями. Хотя Лиза его легко отпускала — она ему доверяла и даже в мыслях не держала, что Паша может загулять. «Ангел, просто ангел», — с восторгом, боясь сглазить, говорила о невестке Валентина Михайловна.

И здесь бы я могла поставить точку. Счастливый финал — герой вознагражден за мытарства, хорошие люди живут вместе в покое и согласии, растят прелестную дочурку. Что еще для счастья надо? А вот надо — чистую совесть. А она у Пашки как раз таки чистой и не была. Глядя на Дашу, он все время думал о той девочке, которая живет в детдоме, одинокая и брошенная. Вдруг ее обижают? А если она болеет? А вдруг ее удочерили, и приемные родители день и ночь попрекают ее куском хлеба? Он покупал Даше игрушки — и думал о той, другой, сиротке. Покупал любимые Дашуткины пирожные — и опять думал о несчастной своей дочери, которую бросил, которая живет в казенном доме и которую никто не балует пирожными и конфетами. Эти мысли его посещали все чаще, и отделаться от них нельзя было никакими силами. В такие моменты Пашка мрачнел, делался немногословным, мог даже грубо ответить. Лиза и Даша испуганно замолкали, он потом просил у своих девчонок прощения и мучился еще сильнее — кругом, ну кругом виноват!

В конце концов терпеть стало невмоготу. И он опять пришел к Сереге. Естественно, с бутылкой. И выложил все как на духу: жить так больше не могу, давай найдем эту девочку, плевать на экспертизу, отец я или нет — удочерю ее, и все! Можно будет спокойно жить! Серега не терял способность трезво рассуждать даже после изрядного количества алкоголя.

— Вот тут-то, брат, у тебя спокойная жизнь закончится. Навсегда. Во-первых, ты уж извини, но давай начистоту: от осины апельсины не родятся. Ритка твоя была стервой, так что вряд ли ее дочь ангел. Да точно ли ты папаша — мы не знаем. Может, твоя курва ее от какого-нибудь жлоба родила? А расхлебывать — тебе! И потом — в детдоме, как ни крути — какое там воспитание? Вот приведешь ты ее домой. Как Лизка твоя к этому отнесется — неизвестно.

— Лиза добрая, детей любит. Что ж она, ребенка на улицу выставит?

— Ну допустим, не выставит. А Даша? Она ж привыкла, что вокруг нее мир вертится. Вы с Лизкой, твоя мать, Лизкины родители — все ее любят, холят, лелеют, принцессой называют. А ты ей — опаньки! — сестричку приведешь. С которой и вашей любовью надо делиться, и игрушками. Дети в этом возрасте знаешь какие эгоисты! Вон мой пацан — мелкий еще совсем, а попробуй кто его игрушку возьми — в рев и сразу кусаться!

Пашка с тоской понимал, что Серега прав:

— Да все ты правильно говоришь! Только не могу я!

— Ладно, давай ее для начала разыщем. Говори телефон своей этой, как ее... Женьки!

Разыскать Женьку так быстро не удалось — она по примеру подруги вышла замуж за иностранца и уехала жить за границу. У Пашки оставался один выход — позвонить бывшей теще, Риткиной матери. Та Пашку никогда не любила, считала, что он ее дочери не пара. После развода Пашка с тещей ни разу не общался.

Когда он позвонил и представился, она ответила холодно и враждебно:

— Что вам от меня надо? Мне некогда с вами разговаривать.

Но Пашку было не остановить.

— Я знаю, что Рита родила дочь и оставила в роддоме. Скажите мне номер этого роддома. И может, вы знаете, где сейчас девочка? Может, навещали ее? Вы же ей бабушка все-таки!

Выпалив все это, Пашка почувствовал, что сдулся, словно шар, из которого выпустили воздух. В висках стучало, во рту пересохло, руки дрожали.

— Ты пьяный, что ли? — Теща перешла на ты. — Какая дочь? Какой роддом? У Риты сын, его отец — ее муж, они живут в Италии, а других детей у нее

нет. И не звони мне больше! Лучше пить прекращай! — Ритина мать почему-то всегда считала бывшего зятя чуть ли не алкоголиком.

После этого разговора Пашка впал в настоящую депрессию — опять залег на диван, опять не ел, не пил, не разговаривал. А Серега, пока его приятель обдумывал самые черные мысли, разыскал через «Одноклассников» Женьку, которая ему призналась, что тогда, в ресторане, она Пашку разыграла.

«Да ты понимаешь, что сделала! — Серега яростно лупил по клавиатуре, не попадая в нужные буквы. — Он же чуть руки на себя не наложил! Да что ж вы с Риткой твоей за стервы такие!»

«Ну не наложил же! — ответила Женька. Дальше стояла строка смайликов. — Я уж и думать про это забыла. Кто ж знал, что он такой чувствительный! Правильно Ритуля говорила — тряпка, а не мужик!»

«Сами вы с твоей Ритулей...» — дальше Серега перешел на отнюдь не литературную лексику.

Узнав правду, Пашка облегчения не испытал. Он почувствовал себя обманутым: ведь он почти привык к мысли, что у него не одна, а две дочери, строил планы, как будет с ними кататься на лыжах, как они всей семьей поедут в отпуск. Как он будет их баловать, покупать игрушки.

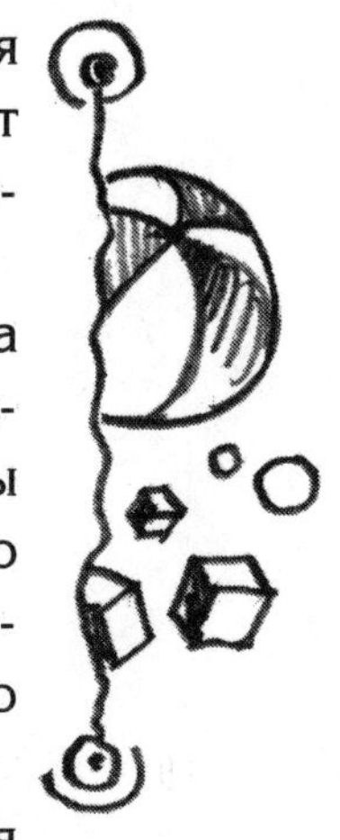

И он рассказал обо всем Лизе. Лиза правда оказалась ангелом. Она призналась, что давно думала о том, чтобы взять ребенка из детдома. Потому что Дашка не должна расти одна и еще потому, что изменить к лучшему чью-то жизнь — это очень правильно...

Через несколько лет первого сентября Пашка, гордый, растроганный до слез, стоял на линейке, а рядом с ним — Дашутка и Олечка. Его дочери. Многие говорят, что девочки похожи, как близнецы. И Пашке самому иногда так кажется.

СОВЕТ ВТОРОЙ

Дозируй помощь со стороны

Меня всегда удивляет, что молодые люди, когда решают обзавестись детьми, рассчитывают на помощь собственных родителей – материальную и физическую. Ну с материальной все ясно – в нашей стране детей принято содержать до их пенсии. Здесь каждый решает сам, как поступать. Конечно, ничего плохого здесь нет – почему бы не поддержать детей, если у вас есть такая возможность? Но когда я слышу истории, как, к примеру, тридцати- и даже сорокалетние «деточки» живут за счет родителей, то всегда вспоминаю восточную мудрость: если отец работал, а сын бездельничает, то внук будет просить милостыню.

В нашей стране детей принято содержать до их пенсии.

Помню прекрасно себя – никогда мне и в голову не приходило скинуть сына на руки бабушкам, няням, воспитателям в садике, чтобы самой наслаждаться жизнью. Конечно, иногда молодым родителям надо выбираться куда-то вдвоем, без ребенка – во-первых, чтобы не потерять романтики в отношениях, во-вторых, чтобы просто не сойти с ума от бесконечных проблем. Да и бабушкам и дедушкам – теперь-то я это знаю по себе – в удовольствие поиграть, погулять с внуками, сходить с ними в парк, в кино, в цирк, или даже прихватить их на пару недель в отпуск? Молодость вспомнить, когда вот так же ездили с их родителями, да и детям помочь. Но отказаться от себя, от своей жизни – здесь может быть только добровольное согласие. Приставать к теще или свекрови буквально с ножом к горлу, требуя, чтобы она бросила работу и стала «профессиональной бабушкой», – я считаю, это неправильно. Помните замечательный фильм «По семейным об-

Отдавая ребенка на воспитание теще или свекрови, вы рискуете получить «на выходе» совсем не того человека, с которым сможете дружить.

стоятельствам», где дочь, которую играет Марина Дюжева, требует от матери (прекрасная роль Галины Польских), чтобы та ушла с работы и в качестве аргумента восклицает: «Ведь она же твоя внучка!» На что мать жестко парирует: «Прежде всего она твоя дочка!» И кстати, отдавая ребенка на воспитание теще или свекрови, вы рискуете получить «на выходе» совсем не того человека, с которым сможете дружить, с которым вы понимаете друг друга с полуслова. Это няне, человеку, в общем, временному, которому вы платите, на минуточку, деньги, можно мягко, но настойчиво сказать: «У нас так не принято» или «Делайте так и не делайте этак». С бабушкой такие номера не пройдут – она привыкла воспитывать вас, так что вашего ребенка тоже рассматривает как собственного, которого можно лепить «по образу и подобию». История Маши, дочери моих друзей, – тому доказательство. Имена я на всякий случай изменила.

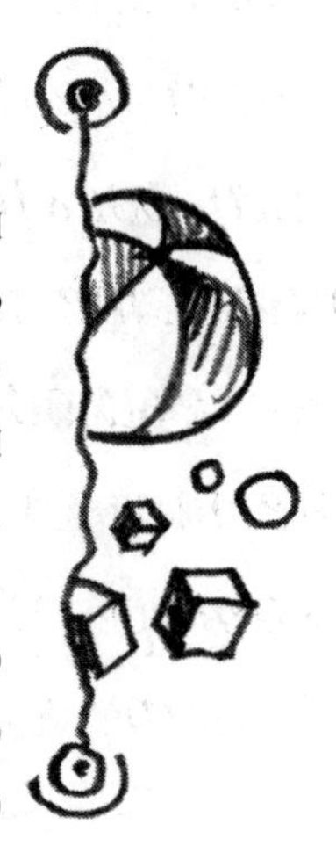

Маша росла единственным избалованным ребенком в окружении взрослых, каждый из которых готов был в любой момент сорваться, чтобы исполнить каприз принцессы. Марусечка захотела немецкую куклу, как у подружки по садику? Мама, моя подруга Наташа, немедленно через знакомую спекулянтку втридорога эту куклу достала (дело было на излете эпохи застоя, когда не то что кукол — иногда и куска мяса было не купить). Дедушка, кряхтя и постанывая, рискуя слечь с радикулитом, катал деточку на спине, потому что их высочество соизволили захотеть поиграть в лошадку. Ну и разумеется, каждое лето — море (ребенку нужен целебный южный воздух), лучшие врачи, потом престижная школа, самые дорогие репетиторы, и — вожделенный филфак МГУ. Вскоре Маруся познакомилась с будущим мужем Володей, тоже студентом, не то второкурсником, не то третьекурсником технического вуза. Словом, таким же, как она, юнцом. Что и говорить, перспектива брака на втором курсе ни родителей,

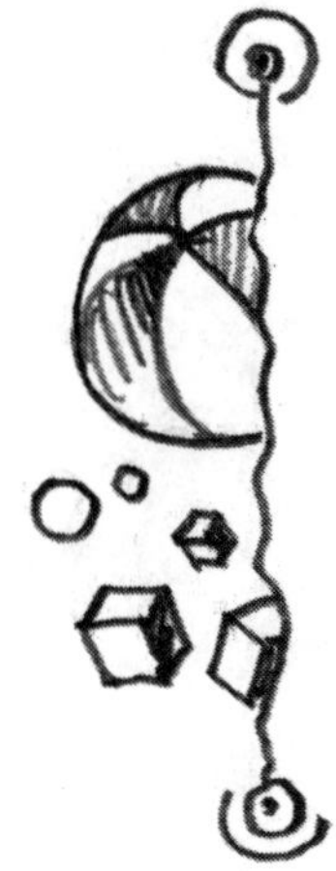

ни бабушек-дедушек не порадовала. Но слово Маши было в семье законом, да и остановить ее всегда было невозможно. Ни аргументы, ни уговоры не действовали. Каким чудом Володя уговорил своих родителей на эту «авантюру», как назвала бракосочетание сына Машина свекровь, для меня, да и для всех было загадкой. Но факт есть факт — Маша и Володя поженились и стали жить в отдельной кооперативной квартире, заблаговременно купленной дедушкой и бабушкой для любимой внучки. На дворе были 90-е, время лютое, с деньгами, продуктами было не очень. Но Маша была выше прозы жизни. Это, впрочем, было несложно — ее мать несколько раз в неделю проведывала молодых с сумками, набитыми продуктами, баночками, судочками и кастрюльками. Виктор, Машин папа, нет-нет, да совал дочери купюру — «на шпильки и глупости». Жизнь, одним словом, у молодоженов была отличная, и впереди было еще несколько беззаботных студенческих лет. Они любили шумные компании, поездки к друзьям на дачу и так далее. И тут — гром среди ясного неба. Маша узнала, что беременна. Как горько шутил Виктор, Маруся узнала, что любовь — не

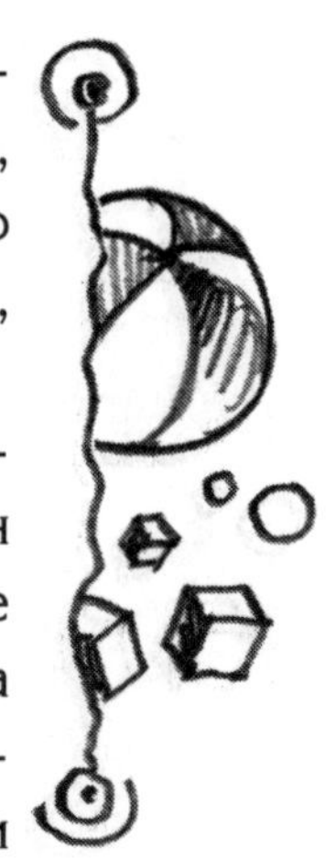

встречи на скамейке, от поцелуев бывают дети. Конечно, она совсем не хотела, да и не была готова стать матерью. То есть теоретически она была не против, но позже.

Что думал по этому поводу юный супруг Володя, неизвестно, потому что он всегда думал так, как Маша. В его семье было принято слушать мать — Машина свекровь Эвелина Павловна была женщиной строгой и властной. Но при этом умной. Знала, когда кнут сменить на пряник. Ее супруг жену уважал, слегка побаивался и готов был каждому встречному рассказывать, какая у него Элечка умница, какая замечательная хозяйка и прекрасная мать. Мать Эвелина Павловна была и вправду хорошая. Володя всегда чувствовал ее поддержку, порой весьма навязчивую, но его это никогда не смущало. «Мама лучше знает, что тебе надо» — эту фразу Эвелина Павловна сделала рефреном своих отношений с сыном. А он и не протестовал. Так удобнее. Знаете, многие мужчины говорят, что служить в армии им нравилось, потому что не надо думать — знай себе исполняй то, что за тебя решили другие. Вот и Володины отношения с матерью

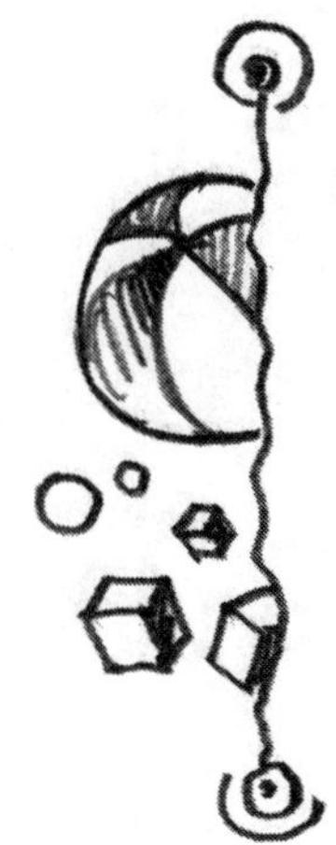

чем-то напоминали армию: упал, отжался, мама знает лучше...

Маруська наша Эвелине Павловне решительно не нравилась: вертихвостка, к тому же больно много о себе понимает. К тому же она отдавала себе отчет в том, что с появлением Маши ее годами выстраиваемые отношения с сыном станут совсем другими — Володечка переползет из-под ее каблука под Машин. Маша вряд ли станет играть по ее правилам. «Мама знает, как лучше» — с насмешливой, своенравной Машкой такой фокус не пройдет.

Девочка, которую назвали Настей в честь Машиной бабушки, всего пару месяцев не дожившей до рождения правнучки, была беспокойной, болезненной. Ей были нужны врачи, массаж, усиленное питание, особые смеси. Словом, все то, что в начале девяностых найти было немыслимо. На прилавках стояли в ряд банки с солеными зелеными помидорами и бычками в томате. Наташа с Виктором особо помочь детям не могли — НИИ, где они работали много лет, развалился, директор сдал огромные площади в аренду, а люди оказались на улице. Те, что помоложе и пошустрее, стали челноками или пошли работать в первые кооперативы. А Наташа и Виктор растерялись: ездить в Польшу и Турцию за шмотками вроде не по возрасту, стоять за прилавком — тем более. Наташа пыталась давать уроки математики и физики недорослям, но это были копейки. А тут Виктора разбил инсульт: уж очень он страдал из-за неприкаянности, никчемности, очень болезненно реагировал на все, что происходило. Наташа не отходила от него днем и ночью, помогать Маше, как раньше, уже не могла.

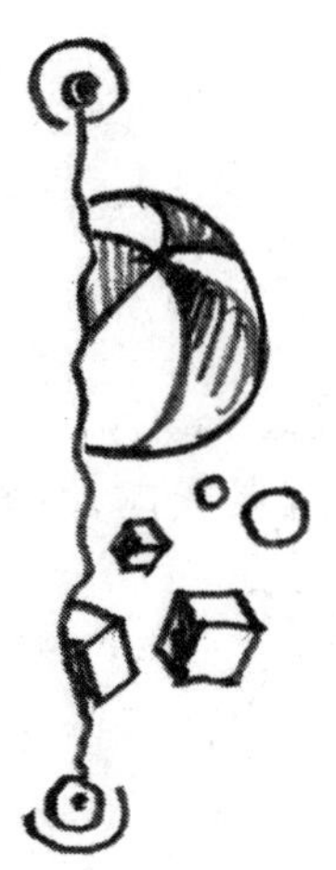

И тогда Эвелина Павловна объявила, что ради «детей» готова поменять работу: уйти из общеобразовательной школы, где она преподавала домоводство, в коррекционный интернат — там и платят больше, и регулярные продуктовые заказы дают. И здесь Маруся совершила первую стратегическую ошибку. Ей бы вежливо, но твердо отказаться от «жертвы» — дескать, спасибо, дорогая Эвелина Павловна, очень ценим вашу самоотверженность, но мы уж как-нибудь сами. Но она была так растеряна, так напугана, что не справится одна с ребенком, что не сможет дальше учиться. Да что там — вся жизнь пойдет под откос!

Теперь Эвелина Павловна имела полное право по-хозяйски заявиться к ним

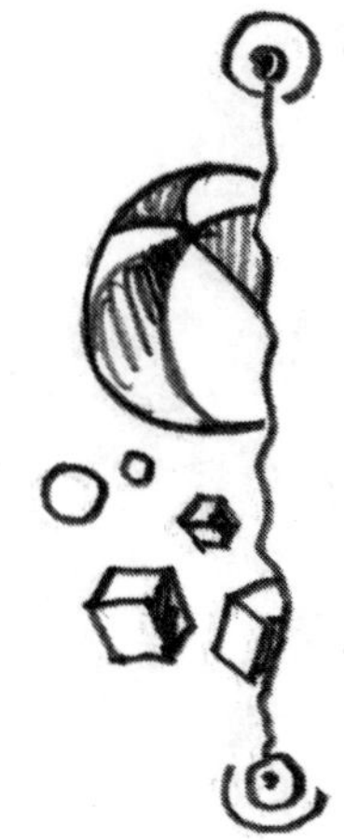

в квартиру в любое время, открыв дверь собственным ключом, бесцеремонно заглянуть в кастрюли, попенять Маше, что она плохо ухаживает за ее сыном, не слушая возражений, сварить «детям» борщ — в соответствии с ГОСТом, не зря же она преподавала домоводство. Машка рассказывала, что все свои действия ее свекровь сопровождала комментариями, будто и не выходила из класса: «Закладываем в наш борщик зажарочку», «А теперь картошечку, форма нарезки — кубики со стороной шесть миллиметров», «О, наш борщик почти готов, для подачи нам понадобится сметанка». Маруся уверяла, что от всех этих уменьшительно-ласкательных суффиксов у нее пропадает молоко. Особенно ей было неприятно, когда свекровь так же по-хозяйски брала из кровати Настеньку и принималась инспектировать.

— Ну-ка посмотрим, как твои родители тебя запеленали, — говорила она, и Маше казалось, что Эвелина сейчас ей скажет: «Плохо запеленала! Садись, два, без матери завтра не являйся!»

— А сколько же раз твоя мама с тобой сегодня гуляла? — спрашивала свекровь у двухмесячной внучки, словно игнорируя стоящую рядом Машу. — Ленится твоя мама на улицу выходить, не до того ей, видно, — сварливо заключала Эвелина, поджимая губы. — Ну ничего, бабушка уже пришла, сейчас она порядок-то наведет.

Маша пробовала возражать:

— Эвелина Павловна, зачем вы так? Такое ощущение, что вы Насте мать, а я мачеха. Она уже скоро все понимать начнет, вы же ей внушаете, что я ее не люблю и не забочусь о ней!

Эвелина сначала отмалчивалась, но однажды, резко развернувшись, дала-таки отпор:

— А ты заботишься? — Лицо у нее стало красным, голос визгливым. Маша подумала, что плохо знала свекровь — ей бы на рынке картошкой торговать, а не в школе работать. — Заботишься? Да ты о себе заботишься, все думаешь, как бы сбежать хвостом крутить. С подружками часами трындишь, пока ребенок в мокрых пеленках надрывается! Лишний раз на воздух девочку не вывезешь, ждешь, когда Вова придет. А он, между прочим, учится и работает. Его не припахивать после работы надо, а супу налить и дать отдохнуть! И деньги, что он приносит, не на помады и мазилки всякие тратить, а на ребенка!

И ты мне не указывай, что мне внучке говорить! Я на вас пашу, между прочим, ишачу с утра до вечера! Думаешь, легко мне с этими дебилами работать? Но не жалуюсь! И не сомневайся, не ради тебя я это делаю и даже не ради сына. А ради внучки! Твои же ни копейкой, ни куском хлеба не помогают! Мать-то твоя хоть бы раз в неделю приезжала с внучкой погулять! Так нет, нашла отмазку — муж у нее, видите ли, болен! А кто сейчас здоров? Нет, ты мне скажи! Я, что ли, здорова? Или муж мой? Да у меня давление под сто восемьдесят! А ничего, работаю!

Эвелина сама себя накручивала, голос у нее становился все громче и тоньше, и Маше, на которую в жизни не повышали голос, показалось, что свекровь сейчас разобьет удар. Ей сделалось по-настоящему страшно. И еще — очень обидно. Все, что говорила Эвелина Павловна, было несправедливо, особенно нападки на родителей. Виктор уже несколько месяцев не вставал, не говорил, только жалобно мычал и плакал. Наташа похудела, вымоталась. За ночь ей удавалось поспать от силы часов пять, и то не подряд. У нее рвалось сердце при мысли, что Маша одна с ребенком, что ей надо вернуться в институт, доучиться, получить диплом. Но с кем оставить Настеньку? Где взять денег на няню? Ответов на эти вопросы у нее не было, впору было самой заплакать. Она и плакала, но дочь старалась подбодрить.

А Маша обнаружила, что Эвелина приходит к ним все чаще, а уходит все реже. И когда приходит свекровь, она, Маша, становится лишней.

И тут ей бы повернуть ситуацию: решительно взять все в свои руки, забрать у свекрови ключ от квартиры, в конце концов! Но слаб человек! Маша рассудила, что, если Эвелина все равно приходит каждый день часа в три и уходит поздно вечером, а иногда и вовсе не уходит, остается ночевать в их однушке, значит, можно перевестись на вечерний и снова зажить развеселой студенческой жизнью.

Она даже стала себя ловить на том, что ждет прихода свекрови. Лишь в замке поворачивался ключ, она, схватив сумку, с низкого старта бросалась вон из квартиры. Подальше от Настиного крика, ненавистного быта, пеленок, распашонок и кашек. Сначала ей было стыдно, но потом она уговорила себя, что так всем лучше: бороться с Эвелиной бесполез-

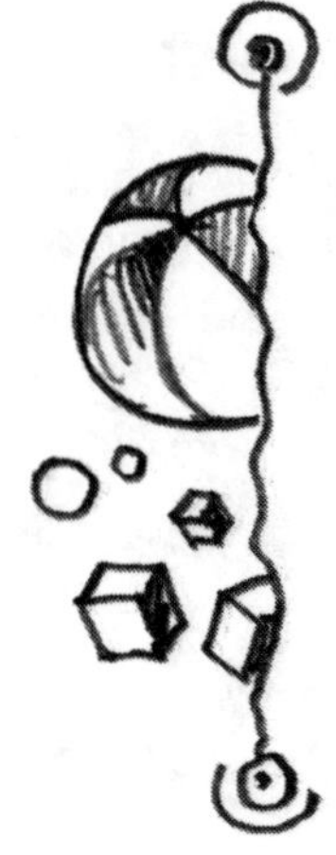

но, она прочно оккупировала место в их квартире и заняла роль Настиного самого близкого человека. Разговаривать на эту тему с Володей Маша попробовала лишь раз и поняла, что муж ей не союзник. Он стал ее горячо убеждать, что «мама хочет только как лучше, она любит Настеньку, у мамы опыт и вообще...»

— Что «вообще»? — сорвалась тогда Маша. — Может, ты, как и твоя мамаша, считаешь, что я не люблю собственную дочь? Не желаю ей счастья? Думаешь, я не слышу, как она с тобой по вечерам шепчется на кухне? Не понимаю, что это она на меня бочки катит? Как был маменькиным сынком, так и остался! Мужик ты или где?! Мы с тобой уже и не спали целую вечность! До секса ли тут, когда мамаша рядом с нашей кроватью раскладушкой скрипит! И ты ведь ей не скажешь, что не надо у нас ночевать!

Володя растерялся от такого напора. Ему не хотелось ссор, он понимал, что ни за что не укажет на дверь собственной матери. К тому же его все устраивало: он приходил вечером, действительно очень уставший, а на столе дымился мамин «борщик», на стуле висела мамой же выглаженная рубашка (Машка считала, что гладить одежду — мещанство), Настя, в чистых ползунках и распашонках, умиротворенно сопела. Если Эвелина Павловна не оставалась ночевать, девочка почему-то никак не хотела засыпать, яростно сучила ножками и ручками, сбивала пеленки в мятый, неопрятный ком, кричала, иногда у нее даже поднималась температура. Она словно чувствовала, что Эвелины нет, а родителей, видно, за родных людей не держала. А что секса нет... Ну нет. А у кого он с маленьким-то ребенком есть? Володя готов был на все, в том числе на воздержание, лишь бы не пришлось портить отношения — в идеале, конечно, лучше бы сохранить мир и с матерью, и с женой. Но если выбирать... И он понял, что выберет маму.

Наташа в те редкие минуты, когда находила время позвонить, делилась со мной опасениями: дочь ведет себя легкомысленно.

— Представляешь, звоню вчера в одиннадцатом часу, а Эвелина сообщает, что Маши нет дома. И таким голосом противным добавляет: «А ее, Наталья Александровна, в такое время никогда не бывает». Я прямо себя как на родительском собрании почувствовала, ей-богу. С Машкой говорить бесполезно. Она на

все отвечает, что учится, надо сдавать хвосты, которые накопились, пока она с Настенькой сидела. Но чувствую: завелся у нее кто-то. О Володе она ничего не рассказывает, как будто нет его.

А Маша правда пыталась наверстать упущенное, те месяцы, когда ее однокурсницы развлекались, наряжались, ходили на дискотеки и в только появившиеся кооперативные кафе и рестораны, а она, «как приговоренная», гладила пеленки и катала коляску по парку. Нет, конечно, она любила Настеньку, но — как бы помягче сказать — себя она любила тоже. И отказываться от удовольствий ради ребенка больше была не намерена. А Володя? А что Володя? У Володи есть мама, «борщик» и рубашка на стуле. И больше ему, похоже, ничего не надо. А ей, Маше, надо. И она свое от жизни возьмет. Да когда же еще брать, как не сейчас, когда ей едва за двадцать, когда она молода, свежа, когда так хочется жить, когда душа поет и рвется из клетки?

И тут у нее действительно закрутился бешеный роман. Виталий Игоревич читал зарубежную литературу начала XIX века и был кумиром студентов. На его лекции приходили с других курсов,

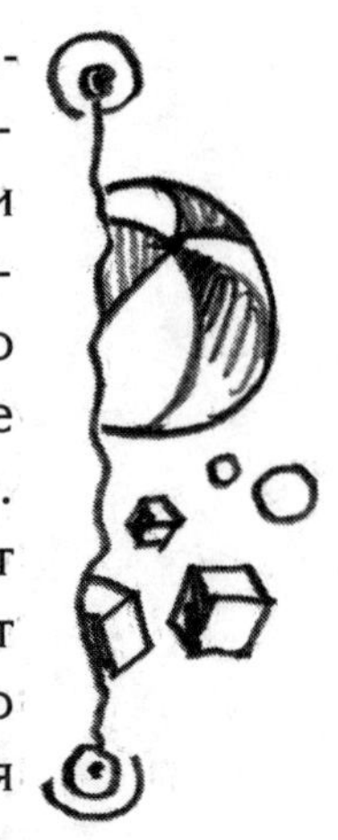

потоков и даже из других вузов. Элегантный, подтянутый, с благородной сединой. Коллеги-преподаватели говорили о нем не без зависти: «Проездом из Оксфорда». Он действительно был каким-то нездешним, тем и покорил Машу. Еще о нем говорили, что он «еще тот ходок». Рассказывали, что часто приглашает хорошеньких студенток сдавать зачет у него дома («Ну вы понимаете...»). Но Маша была уверена, что она у Виталия единственная, что он любит только ее, только ей цитирует наизусть пьесы Ибсена и стихи Джона Донна, только ей дарит цветы, только с ней он так нежен, предупредителен, так по-джентльменски обходителен. Только с ней он гуляет поздно ночью по Нескучному саду и только с ней целуется под фонарями. А секс? Куда там Володиной молодости до опыта Виталия!

Ей вообще казалось, что Володя, дочь, Эвелина со своим «технологичным борщиком» и картошкой «кубиком шесть миллиметров» — это все было не с ней, приснилось. Домой она теперь возвращалась заполночь, приготовив историю про редкие книги для курсовой, которые есть только в спецхране Ленинки. Но никто ее ни о чем не спрашивал.

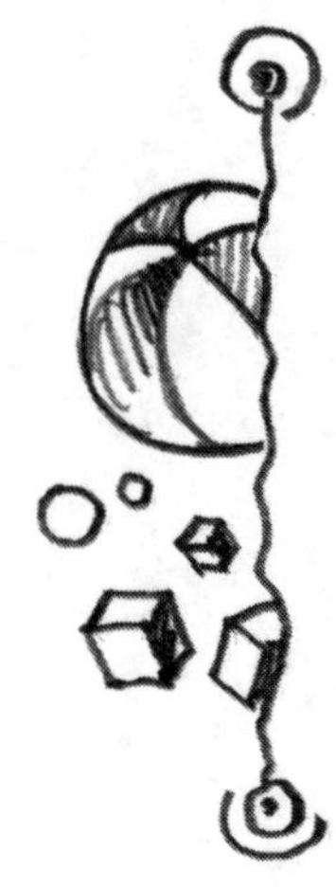

Володя уже давно спал, раскинувшись на их двуспальном ложе, рядом на раскладушке похрапывала свекровь в бигудях и с ночным «крэмом» на лице, Настя, предусмотрительно накормленная кефиром, спокойно спала. Маша юркала под одеяло, максимально отодвигалась от мужа и хотела только одного — поскорее проснуться завтра, дождаться прихода свекрови и бежать к Виталию. Если Настя просыпалась среди ночи, Маша к ней не подходила — все равно Эвелина опередит. Свекровь и правда с первым Настиным писком вскакивала, брала девочку на руки, шептала ей что-то ласковое, и Настенька умолкала, успокаивалась и, причмокивая, засыпала.

Наташа, понимая, что происходит с дочерью, пыталась с ней серьезно поговорить:

— Машка, ты сама не понимаешь, что делаешь. Ты же своими руками все разрушаешь. Ведь ты любила Володю.

— Мам, ну какая разница — как любила, так и разлюбила. Ну неприятен он мне! Не мужик, а тряпка какая-то! «Да, мамулечка, конечно, мамулечка, ты права, мамулечка!» И все шепчутся, шепчутся! Я вообще в собственном доме себя постоялицей чувствую! Всюду эта Эвелина! В шкафу ее одежда, в ванной ее бигуди, в кухне все стерильной марлечкой прикрыто! А запах «Красной Москвы!» Это ж атас! У меня скоро астма начнется! Чуть что не по ней — визжит, как торговка на базаре: «Я на вас ишачу!» Слово-то какое, мам! «Ишачу»!

— Машка, но ты должна быть ей благодарна...

— За что, мам? За то, что не любит меня? Из собственного дома меня выживает? Куском попрекает? Мужа против меня настроила? Вот погоди, Настенька подрастет, она и ее накрутит, можешь не сомневаться!

Наташа не знала, что сказать. Измученная безнадежностью, болезнью мужа, безденежьем, издерганная и невыспавшаяся, она была плохим советчиком. Конечно, не надо было идти у Машки на поводу и давать согласие на этот брак. Дети поженились и родили ребенка. К тому же дети, выросшие в разных песочницах, — понятно было с самого начала, что Володя и его родители — люди не их круга и что с Эвелиной, при всей Наташиной дипломатичности, врожденном чувстве такта и терпимости, ей общего языка не найти. И внучка, выра-

щенная этой чужой женщиной с замашками базарной торговки, будет чужим человеком. Это Наташа, человек, смотрящий на жизнь всегда очень здраво, понимала со всей очевидностью. И исправить положение могла только Маша, если бы сама взялась за воспитание ребенка, пожертвовала учебой, личной жизнью. Но образумить дочь Наташа не могла. Был бы Виктор здоров! Он всегда был для дочери авторитетом, всегда находил какие-то правильные слова, чтобы убедить ее. Но Виктор уже никогда не будет прежним. Дай бог, чтобы не хуже. И у Наташи не было выхода, кроме как решить: «Будь что будет». Сил что-либо изменить у нее не было.

Как известно, жизнь полосатая, как зебра, — истина хотя и банальная, но спорить с ней никто не станет.

Машку ждало разочарование, впрочем, любой здравомыслящий человек, хотя бы немного знающий уважаемого Виталия Игоревича, мог бы это разочарование предсказать. Все произошедшее было так просто и так по́шло, что аж противно. Маша решила правда наведаться в Ленинку — начать писать курсовую, пока не отчислили. Она поднималась на «Библиотеке Ленина» в город, а на соседнем эскалаторе ехал он — ее любимый, мужчина ее мечты, ее рыцарь, к ногам которого она бросила семейную жизнь. Ехал он не один — на ступеньке выше стояла тоненькая блондинка с распущенными волосами, а рука Виталия Игоревича лежала на ее талии, иногда съезжая ниже. Нет, они не целовались, до такой вульгарщины почтенный профессор не опускался. Но сомнений в том, что его с блондинкой связывают вовсе не платонические отношения, не было. Видно, не только с Машей он гулял в Нескучном и не только она слушала Ибсена и Джона Донна в его исполнении.

Маша словно застыла. Теперь она все делала машинально, по большому счету ей было на все наплевать. Она даже не сразу поняла, что Володя от нее уходит — супруг ей сообщил об этом, запинаясь и краснея.

— Девушка — бывшая мамина ученица, — простодушно поделился он с Машей.

— Эвелина Павловна познакомила тебя с девушкой из коррекционного интерната? — без особого любопытства спросила Маша, опять-таки отметив некую водевильность ситуации. Раньше бы она

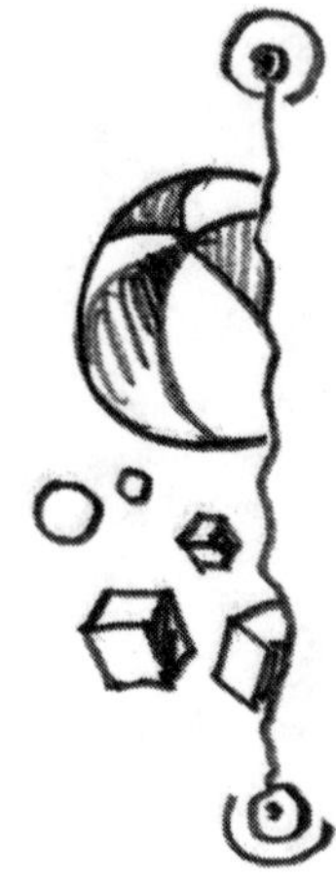

не отказала себе в возможности съязвить, но не теперь, когда ей казалось, что жизнь закончилась и уже никогда не начнется.

— Нет, конечно! — горячо заверил ее муж, теперь уже, видимо, бывший. — Олеся давно у мамы училась, когда она еще в обычной школе работала. Она у нее любимой ученицей была, вот мама и...

— Давай без подробностей, Вов, — прервала его Маша. — Ну подложила маман тебе девицу, которая лучше всех борщи варит. Поздравляю!

И тут подала голос Эвелина Павловна, которая все это время стояла за дверью кухни, готовая в любой момент защитить своего Володечку от нападок «этой гулящей фифы».

— Олеся — девушка порядочная, не то что некоторые, которые и о муже забыли, и о дочери родной! И Вову она любит! А Вова любит ее! И работящая! Она и готовить, и шить, и вязать умеет! И рубашки будет гладить!

— Так вы, Эвелина Павловна, Володе жену нашли или домработницу? — поинтересовалась Маша, больше для порядка. Хотелось, чтобы все поскорее закончилось, чтобы эти чужие люди ушли наконец из ее квартиры, чтобы можно было лечь, зарыться головой в подушку и плакать сколько влезет, жалеть себя, обманутую и никому не нужную.

Но Эвелина явно подготовилась к разговору и желала продемонстрировать все «домашние заготовки».

Она припомнила Маше и то, что та «плохо ухаживала за Володей, не обихаживала его», и что «уюта в доме отродясь не было», и что «Володечке пришлось на вечерний перевестись и работать пойти, чтобы на сережки-помадки зарабатывать».

— Хорошо мы с отцом похлопотали, чтобы его в армию не забрали. А и забрали бы, ты бы небось не заплакала. Поди и обрадовалась — кот из дома, мыши в пляс. Хвостом-то вертеть при живом муже! — Эвелина, как всегда, сама себя распаляла, и остановить ее не могла никакая сила.

«Надо перетерпеть. Еще немного — и она замолчит», — уговаривала себя Маша и, чтобы отвлечься, начала читать про себя «Евгения Онегина», которого знала наизусть с детства. «Мой дядя самых честных правил...» — пушкинские строки настолько диссонировали с Эвелининым визгом, что хотелось де-

монстративно заткнуть уши. А Эвелина Павловна перешла к любимой теме — вспоминала, что они с «отцом», так она и в глаза и за глаза называла собственного мужа, «вложили в свадьбу вашу, будь она неладна трижды, денег поболе родителей-то твоих».

— А гостей с вашей стороны было аж на шестеро больше! Да и гости — тьфу! — Тут Эвелина смачно сплюнула на ею же вымытый «мыльно-содовым концентрированным раствором» пол. — Ни подарков, ни денег. Книги дарили да цветы. А жрали не меньше других, порядочных, которые деньгами дали или хрусталем. А Пал Поликарпыч, тот вообще ковер подарил! И не думай, что я тебе его оставлю.

— Ваш ковер на антресолях, мне он не нужен, я давно вам предлагала его забрать.

— И сережки с фианитом, которые мы с отцом тебе подарили, будь добра отдать! Мы их дарили невестке, а не шалаве гулящей.

— Володя, — нежно обратилась Маша к бывшему супругу, — а ничего, что в твоем присутствии меня так оскорбляют? Я все-таки мать твоего ребенка.

Лучше бы она этого не говорила!

— Мать она! Нет, вы слышали?! — с новой силой завопила свекровь, обращаясь к невидимой аудитории. — Мать! Да какая ты мать! Родить, мил моя, дело нехитрое! А ты поди воспитай! Ночами не поспи, как я! В парк в любую погоду с колясочкой! Пюре протирай горячее через марлечку, кисели поотжимай! И все это после работы, между прочим!

Маша поняла, что они дошли до любимой темы: «Я на вас ишачу».

Так и есть. С этого конька Эвелина так быстро не слезет. И Маша приготовилась к длинному монологу. Володя все это время молчал, теребил в руках чайную ложку, время от времени ронял ее на пол и, краснея от натуги, лез за ней под стол.

А Эвелина не унималась:

— Дебилов этих из-за вас терплю, а я, между прочим, заслуженный учитель! Меня и в роно, и в гороно знали, я на Доске почета висела. Да если бы я в эту школу дебильную ради вас не ушла, давно б уже завучем стала! А там, глядишь, и директором! Сидела бы сейчас в кабинете и горя не знала! Почет сплошной и уважение! Подарки опять же! Но нет, пришлось все бросить! Родители-то твои никчемные, им на внучку плевать!

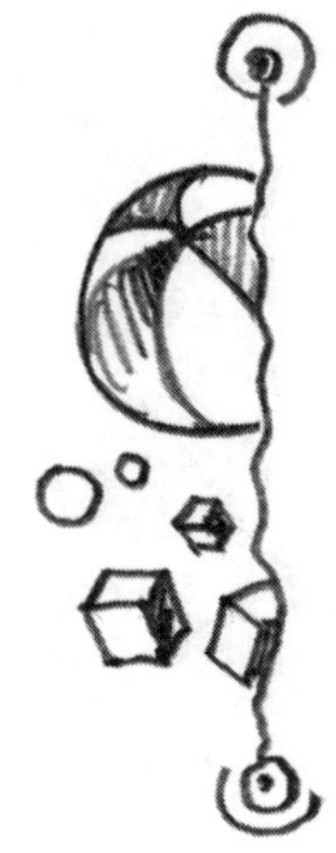

— Как вам не стыдно, Эвелина Павловна! — Маша почувствовала, что расплачется прямо сейчас. Накануне она заезжала к родителям, и папино лицо стояло у нее перед глазами. Ее папа, весельчак, остроумец, который легко подтягивался на турнике, лучше всех катался на лыжах, бесстрашно съезжал с любой горы, превратился в глубокого старика, неподвижное растение. Он узнавал и ее, и маму, но сказать ничего не мог, бессильно мычал что-то, из мутных глаз непрестанно текли слезы. А мама? Красавица мама превратилась в сухонькую старушку. Ее руки, когда-то белые, холеные, с безупречным маникюром, с крупными серебряными кольцами, стали красными, распаренными от бесконечной стирки. И такая у нее тоска в глазах, такая безысходность…

К счастью, словно желая помочь матери, поддержать ее, заплакала Настенька. Маша устремилась к дочери, но Эвелина, как водится, опередила, подскочила, схватила Настю, принялась менять подгузник. Делала она все, надо признать, гораздо ловчее родной Настиной матери.

Володя скоро съехал — отправился к работящей и домовитой Олесе. Маша особо не переживала — все перегорело. Наташа, кажется, убивалась больше дочери: сердце разрывалось от того, что вся жизнь полетела под откос.

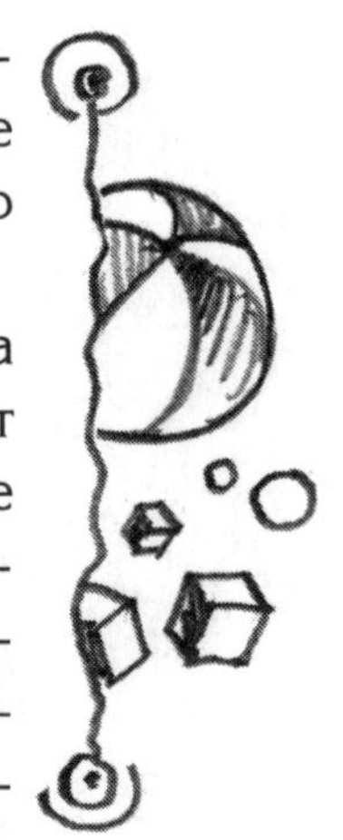

Но самое большое разочарование она испытала, когда поняла, что у Маши нет ни на йоту материнских чувств. Настя ее раздражала, она злилась на девочку из-за того, что та не ест, не спит, капризничает. И как-то так само собой получилось, что Эвелина снова стала приходить сидеть с внучкой, а потом и вовсе забрала Настю к себе — ну не жить же с бывшей невесткой в одной квартире!

Маша опять была свободна, и свобода эта ее пьянила. Конечно, она регулярно навещала дочь, гуляла с ней — была для нее кем-то вроде «воскресного папы». Тем более что Володя к девочке интереса не проявлял и не появлялся ни в воскресенья, ни в другие дни недели. Он с самого начала не воспринимал дочь как объект своей заботы и продолжал к ней так относиться. Для него она была кем-то вроде младшей сестренки, которую родители зачем-то родили на старости лет. А тут его домовитая Олеся родила мальчика, и Володя о Насте и вовсе забыл, полностью погрузившись в быт новой семьи. Мальчика-то он как

раз с рук не спускал, кормил из бутылочки, менял подгузники — словом, вел себя как нормальный муж и любящий отец.

Маша пришла в себя, словно проснулась, к Настиным пяти-шести годам. Она резко повзрослела и поняла, что людей вокруг много, а родных — почти нет. Виктор к тому времени умер, Наташа превратилась в собственную тень, посыпались болезни. После смерти мужа из нее будто вытащили стержень. Молодые люди, которые вились вокруг Маши тучами, делать предложение руки и сердца не спешили. Наташа звонила мне и плакала в трубку.

— Не надо было Марусе разрешать тогда замуж идти за этого Володю. А теперь и Настя — чужой человек. Эвелину называет мамой Элей, Машу зовет только по имени, на контакт не идет, дичится. Совсем не наша девочка.

Мне хотелось сказать, что Маша сама свою жизнь пустила по ветру, сама сделала свой выбор. Но я молчала — не добивать же Наташу, которая и так была не в лучшем состоянии.

Настя действительно звала Эвелину Павловну мамой, а родную мать — исключительно Машей. Когда девочке исполнилось тринадцать, Маша решила поговорить с ней по душам, предложила жить с ней и ее мужем, Павлом, неплохим, кстати, человеком, они и до сих пор вместе, тьфу-тьфу не сглазить. Но Настя решительно отказалась. Маша списала это на переходный возраст, продолжала звонить, приходить, приносить дорогие подарки. Но Настя смотрела исподлобья и на все уговоры, как заведенная, повторяла: «Никуда не пойду. Здесь мой дом». Эвелина Павловна, кстати, Маше общаться с Настей не мешала. При всей своей недалекости она была женщина трезвая, расчетливая, с цепким житейским умом. Она рассудила, что на Машином чувстве вины можно неплохо подзаработать, и постоянно требовала денег — то на ремонт Настиной комнаты, то на мебель, то на телевизор во внучкину комнату. Маша понимала, что ремонт столько не стоит, что телевизор хорошо бы включать реже, а если он появится в Настиной комнате, то она будет его смотреть день и ночь без перерыва. Настя вообще Машу разочаровывала. И прежде всего тем, что была к ней холодна, равнодушна. Могла часами тупо пялиться в телевизор, книг не читала, на все предложения сходить

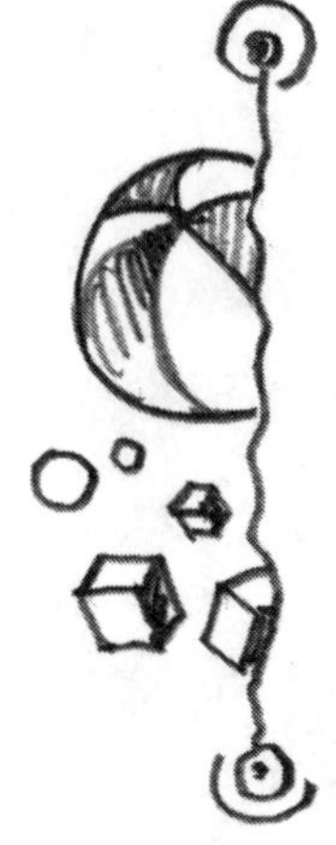

на выставку, в театр отвечала, что ей «неохота» и все норовила затащить мать в магазин — «пошопиться». И от этого слова Машу передергивало. А что делать? Писать жалобу можно только на саму себя. Не ее ребенок, а Эвелинин. И исправить уже ничего нельзя.

А мне в этой истории всегда было жалко не только и не столько Машу («Кто из нас в молодости не ошибался», как говорила героиня Евгении Ханаевой в «Москва слезам не верит»), но прежде всего Настю. Ведь ее судьба могла сложиться совсем иначе, если бы ее мать была взрослее, мудрее и смогла бы задвинуть свое «я» ради ребенка.

СОВЕТ ТРЕТИЙ

Осознай: ребенок – счастье сам по себе

Прежде всего, надо осознать – не понять, не запомнить, а именно осознать, – что ребенка ты рожаешь для него самого. Не для себя, не для мужа и бабушек-дедушек. И самое ужасное, на мой взгляд, когда ребенка рожают не для кого-то, а *ради чего-то.* Когда слышу: «Родила, чтобы удержать мужа», – всякий раз вздрагиваю. Ни одного мужчину так не удержишь. А если он из порядочности и останется в семье, то это и не семья будет вовсе – одно название.

Мать одного моего приятеля любила рассказывать, что к тридцати годам совсем «расклеилась»: гипертония, мигрени, то, сё. И врачи посоветовали для «обновления организма» (!) родить ребенка. Так он и появился на свет. Причем мать неоднократно рассказывала историю его появления в его присутствии. Таким образом, никаких иллюзий по поводу того, что он родился от большой любви, потому что его очень ждали и заранее любили, у бедняги не было с детства. То есть его как раз ждали – как средство от головной боли. По счастью, мой приятель – человек с очень крепкими нервами, лишенный комплексов (по крайней мере, внешне они не проявляются), хотя уверена, что осадочек у него имеется, и не самый приятный.

Ребенка ты рожаешь для него самого.

Все наши комплексы, неуверенность в себе, зажатость – словом, те «тараканы», которые не дают нам жить спокойно, – родом из детства. И только родители могут сделать так, чтобы их ребенок рос счастливым. И точно так же – только родительская вина в том, что многие из нас всю жизнь не уверены в себе, пытаются что-то доказать, не могут «отпустить» детские комплексы.

История Димы, талантливого молодого человека, – замечательная тому иллюстрация.

Димина мать, Люся, с детства мечтала о прекрасном принце. «Чтобы всегда вместе и всегда счастливы» — как в кино. И принц появился. Прекрасный во всех отношениях. Звали героя Борис, был он чертовски обаятелен, остроумен, играл на гитаре, душевно пел бардовские песни, приятно грассировал. Девушки его обожали, он отвечал им взаимностью. Причем всем. Борис был из той породы мужчин, которые не могут отказать даме, а потому ведут себя с ними так, что каждая считает себя первой и единственной. Те, что поумнее, подозревали подвох и пытались устранить соперниц. Те, что понаивнее и поглупее, верили Борису, ловили его

Только родители могут сделать так, чтобы их ребенок рос счастливым.

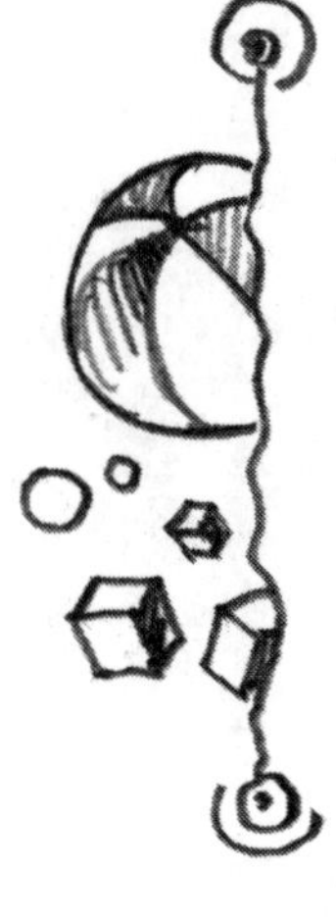

шутки, млели, когда он играл на гитаре. Немногим счастливицам удавалось затащить его в постель, но до загса довести не удавалось никому. Боречка был изобретателен в придумывании отказов, он очень дорожил своей свободой и терять ее не хотел ни за что.

Люся, наивная и неопытная, спала и просыпалась с его именем на устах. Она часами рассказывала о Борисе родителям и подругам, ни о чем и ни о ком другом думать не могла и не сомневалась, что именно с ним она будет счастлива.

Выбрав выходные, когда родители уехали на дачу, она пригласила героя своих грез в гости. После ночи, проведенной вместе, она была уверена, что любимый сделает ей предложение. Но утром Борис был бодр, весел, беззаботен. Съел яичницу, чмокнул ее в носик и со словами «Созвонимся, малыш!» умчался по каким-то таинственным делам. Люся пробовала ему звонить — и на следующий день, и потом, но мобильных телефонов тогда еще не было, а к домашнему подходила Борина бабушка и недовольным тоном, словно ее отвлекли от очень важных дел, цедила сквозь зубы:

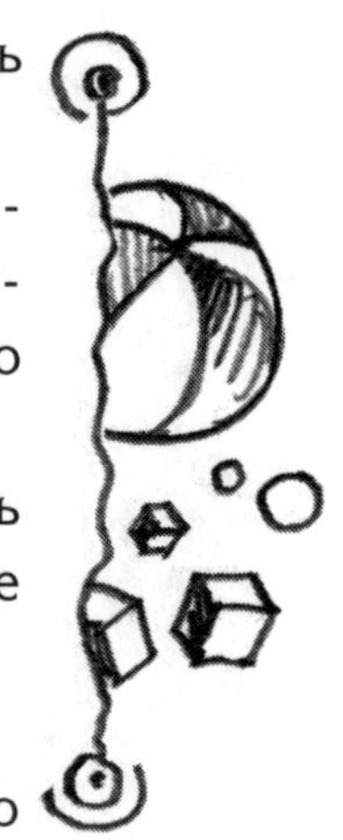

— Бориса нет дома, он будет очень поздно.

План подкараулить Боречку после занятий откладывался до сентября: наступили каникулы, дежурить у подъезда было вообще глупо.

Родители, не в силах больше смотреть на мучения дочери, отправили ее к тетке в Одессу.

Там-то Люся и поняла, что беременна.

Ей было страшно. Она не знала, что делать. В книгах и фильмах героини, забеременев от любимого человека, сообщали ему эту радостную новость, и любимый непременно хватал их на руки, кружил по комнате, а потом принимался «заботиться». Раньше Люся была уверена, что у нее будет все так же — красиво и трогательно. Но теперь планы рушились — любимого нет, он ее явно избегает, кружить по комнате некому, родители далеко. Каникулы закончились, она вернулась в Москву. Борис по-прежнему не давал о себе знать. Бабка его, в очередной раз услышав Люсин голос, сурово сказала:

— Что ж у вас, девушка, гордости никакой нет? Ведь видите, что Боря не хочет с вами разговаривать, а все названивае-

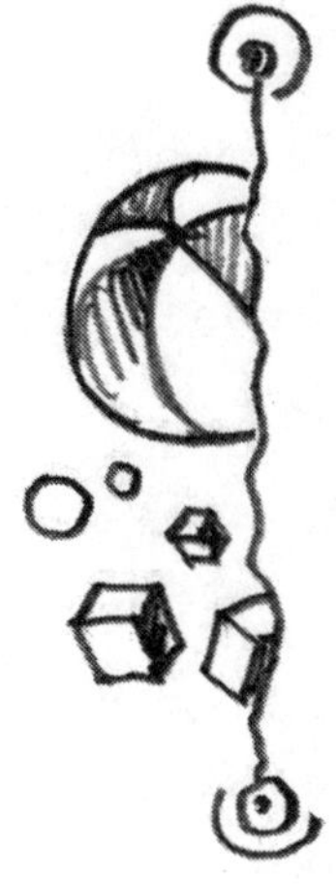

те и названиваете, людей от дел отрываете. Не звоните больше!

И Люся оробела и звонить перестала. Как сказать родителям о том, что беременна, она не представляла. Близких подруг у нее не было. В общем, впору было лезть в петлю. И Люся пошла в женскую консультацию — за направлением на аборт, чтобы решить проблему сразу и на всю жизнь.

Неприветливая докторица прочла ей для порядка лекцию на тему «Первый аборт — диагноз: бесплодие», после чего дала направление. Люся положила его в сумку и стала морально готовиться к дню Х. По счастью, а может, и по несчастью, это как рассудить, Люсина мама с некоторых пор, почувствовав, что с дочерью творится что-то неладное, стала проверять ее сумку. Направление было обнаружено, и, когда Люся вернулась домой, мама лежала на диване с компрессом, папа пил валерьянку и запивал ее самогоном, привезенным из деревни.

На семейном совете было решено аборт не делать, а отца-героя найти во что бы то ни стало. Люся сквозь слезы сообщила родителям, что Борина бабушка велела не звонить.

— Ах, не звонить! — взвился папа. — Не звонить! Вы на него только посмотрите! Как детей делать, так он первый, а как отвечать, так в кусты, за бабку прячется! Ну ничего, у меня не отвертится! Женится как миленький!

— А если он меня не любит? — Люсе стало себя так жалко, что она снова заплакала.

— Любит, не любит! Развели, понимаешь, черт-те что! Я не позволю, чтобы мой внук без отца рос! Вот так! Давай телефон этого твоего героя! — Отец был настроен решительно, и Люсе на минуту показалось, что все будет хорошо. Но только на минуту.

Дальше начались бесконечные переговоры Люсиных родителей с родителями Бориса. Тот, видимо, ни в какую не хотел «поступить как честный человек», то есть жениться. Его родители сына поддерживали. Люся все это время не виделась с «женихом». Ее постоянно тошнило, и она беспрерывно грызла сухарики из черного хлеба, которые мама ей сушила в огромных количествах и складывала в полотняный мешочек. С этим мешочком Люся не расставалась. От бесконечной тошноты она отупела. Ей все время хотелось спать, и она спала

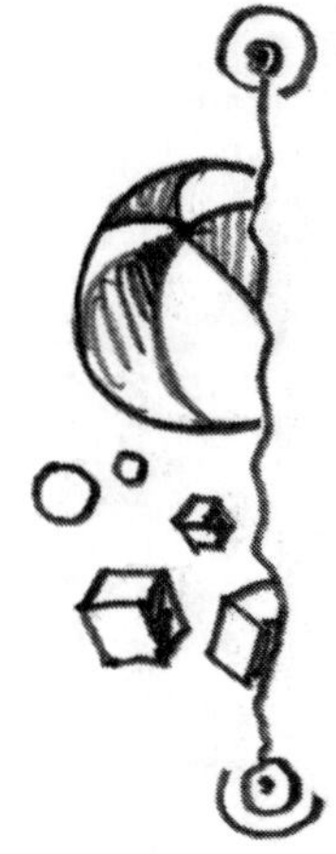

дома, в транспорте, дремала на лекциях. И — ждала. Ждала, что Боря одумается, женится на ней, и она станет ему очень-очень хорошей женой. Как хорошо, что она забеременела — этот малыш свяжет их неразрывно. У них будет настоящая семья.

Борис действительно сделал ей предложение. Точнее, согласился жениться, потому что устал слушать угрозы будущего тестя «испортить ему жизнь». Устал от скандалов с собственными родителями, которые каждый разговор начинали теперь словами «А мы тебя предупреждали...»

Более грустной и нелепой свадьбы в загсе не видели: сильно беременная невеста в безвкусном «тюлевом» платье, которое топорщилось несминаемыми складками, и жених с таким выражением лица, будто его забирают в тюрьму на много лет. Когда «счастливому жениху» предложили сфотографироваться на память, он так взглянул на сотрудницу загса, что та ретировалась, что-то неловко бормоча.

После короткого и совсем невеселого вечера в ресторане, куда пошли «узким кругом» — молодые, родители и несколько друзей, — Люся и Борис отбы-

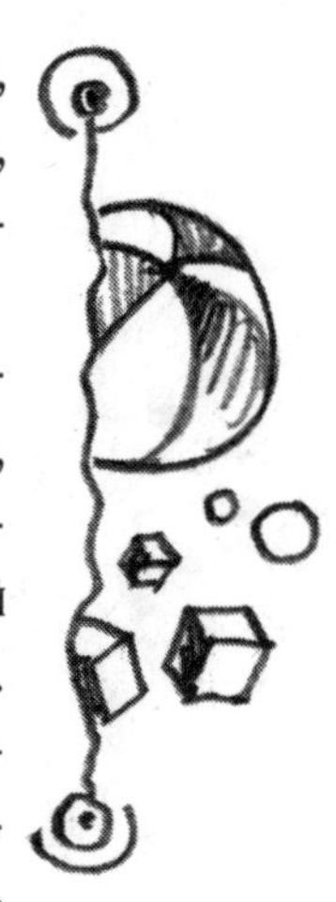

ли домой — в однокомнатную квартиру, которую освободила Люсина бабушка, переехав жить к родителям. Чтобы у молодых было свое гнездо.

И опять все пошло не так, как мечталось Люсе. Борис не заботился о ней, не выводил гулять, трогательно придерживая за локоток, не приносил чай в постель — кофе ей запретили врачи. Он вообще редко обращал на нее внимание и редко появлялся дома — уходил рано утром, приходил поздно вечером. Иногда оставлял на кухонном столе записку «Заночую у родителей». Действительно ли он ночевал у родителей, Люся не знала, проверять стеснялась. Она вообще новых родственников побаивалась, чувствовала, что они к ней не так чтобы очень хорошо относятся.

Мама ее успокаивала: «Стерпится — слюбится». Но ничего не получалось, и Люсю это приводило в отчаяние. Проблемы с Борисом заслонили мысли о ребенке — о нем Люся почти не думала. Малыш должен был стать цементом, скрепляющим их с Борей отношения, но он с уготованной ему ролью не справился и еще до рождения впервые Люсю разочаровал.

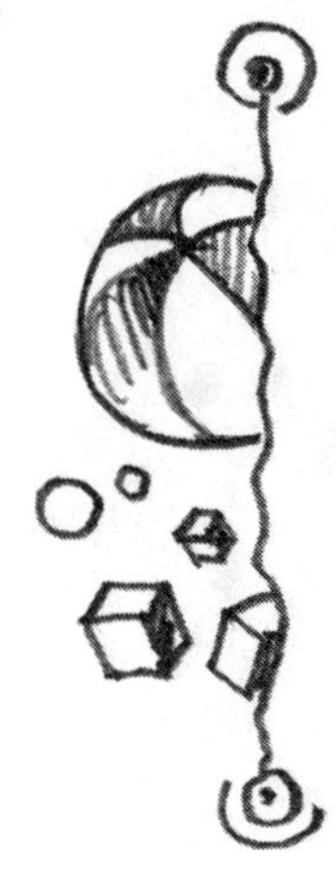

Потом Дима — мальчика назвали в честь Бориного деда, и Люся, чтобы угодить мужу, согласилась, хотя имя это ей не нравилось, — часто слышал от матери эту фразу: «Ты меня разочаровал». Произнеся это, Люся обычно поджимала губы и отворачивалась, а Дима чувствовал себя настоящим преступником.

Подрался в детском саду из-за игрушки, потерял шапку, закапризничал, получил двойку, не сделал уроки, не вынес мусор — на все это у матери была одна реакция.

Люся никогда не была на стороне сына. Когда на него жаловались воспитатели в детском садике, а потом учителя в школе, она скорбно кивала им в ответ и обещала разобраться. И разбиралась. Она, конечно, не била сына, но устраивала ему бойкот, прекращала с ним общаться. Могла громко, так, чтобы он слышал, жаловаться на него подругам: «Ну чего от него ждать! Ошибка. Моя ошибка молодости».

С этим ощущением, что он ошибка и от него «ничего хорошего не дождешься», Дима и рос.

Борис ушел из семьи, когда мальчику было два года. «Притерпеться и полюбить» он не смог. Очень скоро он женился второй раз, родил в новом браке двоих детей. О Диме он не то чтобы забыл. Нет. Он помнил о нем, исправно присылал алименты, поздравлял с днем рождения, пару раз в год ходил с ним в цирк или «Макдоналдс». Но все это было, конечно, не то.

Единственные люди, которые Диму любили, были Люсины родители. И когда Люся собралась второй раз замуж, забрали внука к себе. Диме исполнилось семнадцать, когда бабушка и дедушка ушли. Один за другим. Мать без особого энтузиазма предложила перебраться к ней, точнее в ее новую семью, но Дима отказался. Отец к тому времени почти перестал с ним общаться — звонил не чаще пары раз в году.

Сейчас Диме ближе к тридцати. Он успешный физик, окончил один из самых престижных в стране вузов, собирается защищать кандидатскую, название которой могут произнести, кажется, двое: он сам и его научный руководитель.

И только самому себе он может признаться: всю жизнь он пытается доказать, что чего-то стоит, чтобы не разочаровать больше мать и не видеть ее поджатых губ. Чтобы доказать, что он ценен сам по себе.

И еще одна небольшая история.

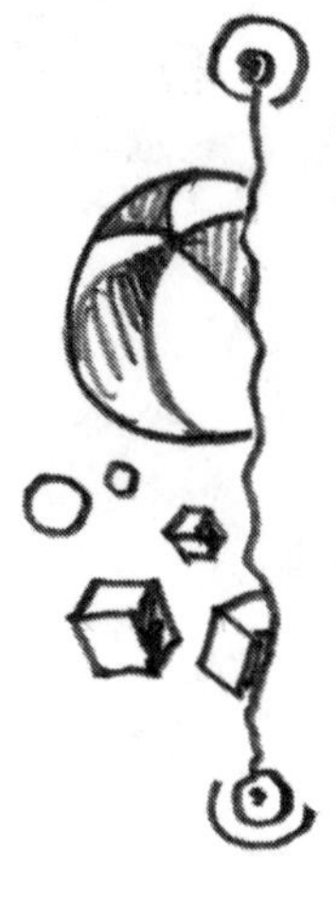

С Андреем и Татьяной мы были в молодости в одной компании. Все удивлялись, какая это странная пара. Она — блестяще образованная, с аналитическим умом (мужским, как говаривал ее научный руководитель, тот еще гендерный шовинист), но ничем внешне не примечательная, а главное — и не пытающаяся выглядеть лучше. Татьяна, казалось, не подозревала о существовании декоративной косметики, не терпела каблуки, не любила платья. Зимой и летом ходила в тертых джинсах, вытянутых свитерах, летом — в каких-то застиранных футболках. Андрей же был красавец: высокий, стройный, черные с проседью волосы, серые глаза. Мимо пройдешь, не удержишься, оглянешься. И, подозреваю, многие оглядывались. И не только оглядывались. В том, что Андрей ходит налево, никто не сомневался — уж больно он оказался любвеобилен, никому не мог отказать. При этом он был прекрасным организатором, как теперь принято говорить, менеджером. Каждая из его многочисленных возлюбленных оказывала ему какие-то услуги: они находили нужные книги для работы, писали рефераты, помогали достать лекарство для его мамы. Он с ними дружил, делая вид, будто не понимает, что они от него ждут вовсе не дружбы. С Татьяной он тоже пытался дружить, просто ее услуги были более глобальными: не достать для мамы лекарство, а навещать ее раз в неделю; не реферат написать, а несколько глав диссертации; а еще — выполнять при любимом муже функции горничной и кухарки. При этом не надо думать, будто Андрей был капризным эгоистом, которого никто не любил, а Татьяна — ангелом, посланным нам с небес для утешения. Ровно наоборот. Он, а не она был душой компании, к нему тянулись люди, он умел вовремя рассказать смешной анекдот или забавную байку, он, при всей его недалекости, умел процитировать любимого всеми Довлатова. Татьяна же, напротив, отличалась крайне тяжелым характером. Она была уверена, что знает всё лучше всех, с утра до ночи всех поучала, в лаборатории, где они с Андреем вместе работали, ее ненавидели и боялись. Шуток Татьяна

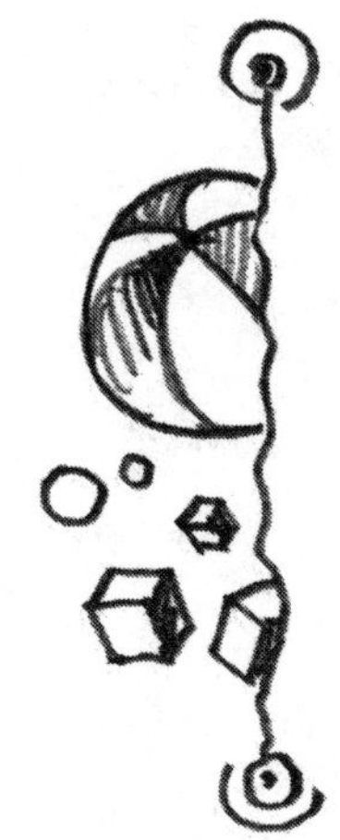

не любила, чувство юмора у нее было атрофировано. И только когда шутил Андрей, она улыбалась — неискренне, по обязанности. Она вообще из кожи вон лезла, чтобы быть ему хорошей женой и нравиться ему. Это всегда было предметом обсуждений и насмешек — все мы были молодые и, что греха таить, позлословить любили. Но при всей антипатии к Татьяне не могли не признать: она в себе уверена, к Андреевым загулам относится философски, терпит их с достоинством, не унижает себя скандалами и выяснением отношений.

Не зря знающие люди говорят, что в сорок лет у многих, если не у большинства, мужчин натурально сносит крышу. С Андреем произошло так же: он влюбился. По-настоящему и не исключено, что впервые в жизни. Татьяне он морочить голову не стал — выложил все как есть и добавил, что уходит. И тут ей отказало обычное хладнокровие, она поняла, что это не увлечение, не мимолетный роман, после которого Андрей вернется в стойло, будет заглаживать чувство вины, рассказывать, какая она у него самая-самая-пресамая, смотреть виноватым взглядом и по вечерам петь ей про «солнышко лесное».

Татьяна закатила форменную истерику. Андрей, нервно куря, рассказал об этом нашему общему приятелю и признался, что не знает, как быть. Он и здесь не хотел никого обижать, ему было очень важно по-прежнему со всеми дружить. Но Татьяна дружить не хотела. Она хотела быть его женой.

Выдержав несколько истерик, одна из которых окончилась Татьяниным обмороком, Андрей не выдержал. Он ушел, а точнее сбежал. Но не надо забывать — они по-прежнему работали в одной лаборатории. Надежды на то, что Татьяна не станет унижаться при людях, не оправдались. Она поставила цель — вернуть Андрея любой ценой — и останавливаться не собиралась.

Кто-то, может, даже ее мать или сестра, надоумил ее родить от Андрея ребенка. Расчет был простой: мужик он порядочный, пуще всего боится, что его перестанут таким считать, мнение окружающих для него очень важно, так что беременную жену, а тем более жену с ребенком не оставит.

Каким образом ей удалось от него забеременеть — одному богу известно. Может, подпоила, может, как утверждали наши остряки, ударила чем-то тяжелым

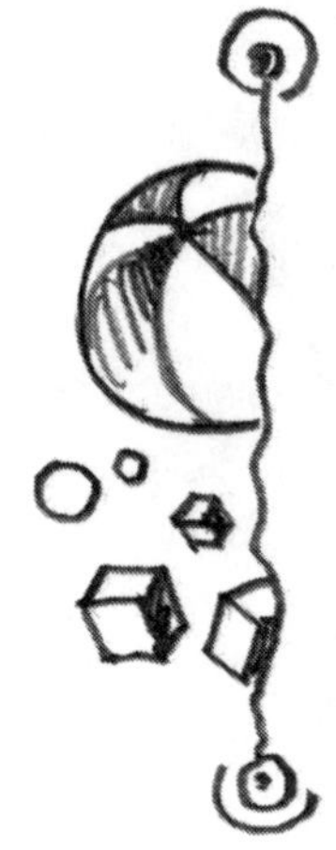

по голове и изнасиловала. Но факт остается фактом: через несколько недель после бегства Андрей узнал, что через девять месяцев станет отцом. Сказать, что его это потрясло, — ничего не сказать. Он был обескуражен, растерян. Просто не знал, что делать. Но все же взял себя в руки и решил вступить в переговоры. Он пообещал Татьяне принимать участие в воспитании ребенка (раз уж она отказывается делать аборт), но предупредил, чтобы она не рассчитывала на то, что он будет с ней жить. Однако она была непреклонна: никаких полумер. Или он отец ее ребенка и ее муж, живет в их квартире вместе с ними, или все вокруг узнают, какой он подонок.

Все это продолжалось достаточно долго, беременность перевалила за вторую половину, Татьяне скоро было идти в декрет, а Андрей все жил с новой любовью, домой не возвращался.

Он похудел, перестал бриться, выглядел изможденным и несчастным. Словом, на счастливого молодожена не тянул никак. Видно, его возлюбленная оказалась женщиной терпеливой и к Андрею относилась правда очень хорошо, терпела его перманентно плохое настроение, нервные срывы, Татьянины ночные звонки. Та могла, например, позвонить часа в два-три, сообщить, что у нее поднялось давление. Андрей срывался, хватал машину, ехал к ней. Оказывалось, что с давлением все в порядке, ехать обратно не имеет смысла, и утром они вдвоем приходили в лабораторию — так, словно не давление полночи мерили, а предавались жаркой страсти. Во всяком случае Татьяна изо всех сил на это намекала. Андреева зазноба, которая работала в том же НИИ, хранила олимпийское спокойствие. Это было покруче «Санта-Барбары», ей-богу! Кумушки гадали, как долго это продлится.

Татьяна родила в срок отличного мальчишку, как две капли воды на нее похожего. Их с Андреем все поздравляли. Через день после того, как Татьяна вернулась из родильного дома, Андрей пришел в их бывший дом с чемоданом. О том, что произошло, я знаю с ее слов. Почему-то именно со мной она решила откровенничать. Может быть, потому, что не сомневалась — я не стану сплетничать, перемывать им с Андреем кости. Я и сейчас, когда решила рассказать эту историю, спросила у ее участников разрешения. Ну и имена изменила, разумеется.

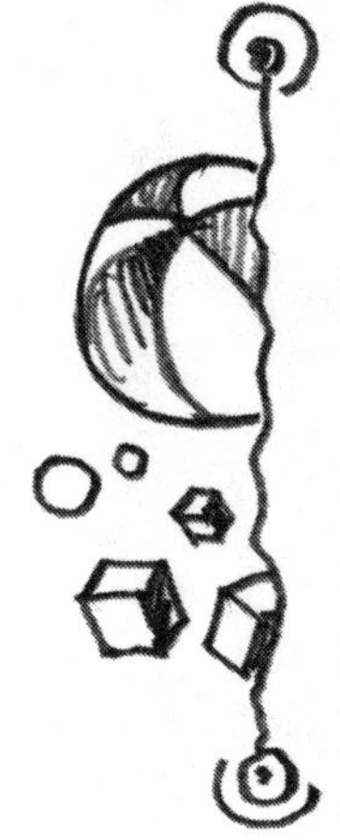

Так вот. Пришел Андрей не как побитая собака, а как агнец на заклание. Видно было, что пригнали его чувство долга и огромное желание выглядеть благородным человеком в глазах многочисленных сочувствующих. С порога он выдвинул Татьяне ультиматум: спать я с тобой не буду, все контакты только деловые, сохраняем видимость семьи ради ребенка.

— И тут, — говорит Татьяна, — я прямо как будто протрезвела. Вот просто в себя пришла. Я что, себя на помойке нашла?! Чтобы так унижаться, чтобы так об меня ноги вытирали?! Спать он со мной не будет! Да это я с ним спать не буду! А еще не буду есть, пить и вообще жить с ним!

В общем, подошла она к Андрею, воротник его рубашки по-хозяйски поправила, пылинку с плеча смахнула и ласково так сказала:

— Иди, Андрюшенька, откуда пришел.

Он оторопел — приготовился к истерике, слезам, скандалу. А тут такое спокойствие.

— Иди, Андрей, — повторила Татьяна. — Не нужен ты мне. Ребенок нужен, а ты — нет. Будь здоров и счастлив. Захочешь пообщаться с сыном — милости прошу. Нет — тоже не заплачем.

По-моему, она приняла единственно правильное решение. Природный ум, знаете, ни один гормональный взрыв не победит. Мальчик, кстати, вырос умницей. Не без завихрений в переходном возрасте, но тут уж ничего не попишешь, никто не застрахован.

И Татьяна счастлива, что у нее есть сын. А Андрей действительно принимает в его воспитании участие — и материальное, и не только. Он женился на своей возлюбленной и, кажется, счастлив.

СОВЕТ ЧЕТВЕРТЫЙ

Перережь вовремя пуповину

«Мы пошли в садик». «У нас насморк». «Мы любим это, а то не любим»... Очень часто любвеобильные мамаши предпочитают говорить о себе и своем ребенке во множественном числе, будто они по-прежнему один организм.

Особенно это жалко выглядит, когда великовозрастная детинушка уже и школу окончила, и в институте вроде бы учится, уж впору жениться или замуж идти, а мама над ним все вьется, как орлица над орленком. А потом мы удивляемся: это почему же у нас такое инфантильное поколение растет? Вот мы такими не были... Естественно, не были – у наших мам была жизнь куда как тяжелее нынешней, мало кто из них мог позволить себе не работать, так что они были рады, что дети вырываются из-под опеки и становятся самостоятельными.

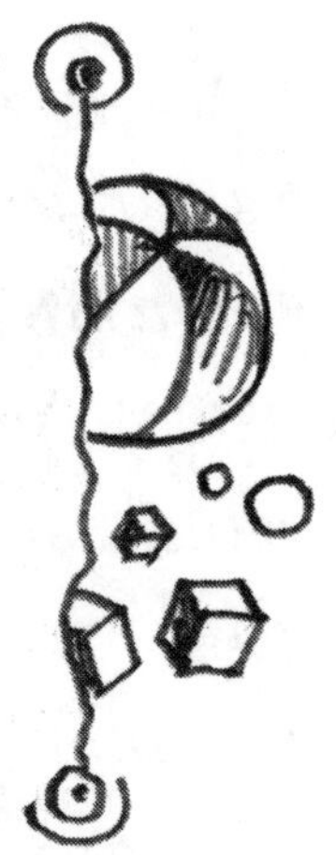

Аня, одноклассница моего сына, была поздним ребенком, которую холил и лелеял денно и нощно целый взвод взрослых: мама, папа, две бабушки, два дедушки, старшая сестра. И каждый внушал ей, что она супергениальный ребенок, вундеркинд. Первое знакомство с этой девочкой, тогда первоклассницей, запомнилось мне тем, что она очень серьезно заявила:

— В разговоре я часто путаю русские слова с французскими и английскими, так что вы вряд ли поймете все, что я скажу.

И принялась рассказывать мне и своей маме, как прошел день, причем это была обычная речь самого обычного ребенка. Иностранных слов я в ней не заметила. Мама, стоящая рядом, внимала девочке так, будто пред ней оракул, а на мой немой вопрос объяснила, что Анечка занимается языками с репетитором, проявляет блестящие способности. Так что путает языки, бедняжечка.

Мама сопровождала Анечку в школу и встречала после уроков класса до седьмого. Так и вижу эту картину: идет Аня, рядом мама тащит за своим божеством школьный рюкзак и внимает. Она бы и дальше сопровождала дитя, но, видно, сама девочка взбунтовалась — стало неловко перед одноклассниками.

Очень часто любвеобильные мамаши предпочитают говорить о себе и своем ребенке во множественном числе, будто они по-прежнему один организм.

Конечно, Анечкина мама была председателем родительского комитета. Все, у кого дети учились или учатся в школе, понимают, о чем я говорю. В каждом классе есть такая мама. Если сильно повезло, то несколько. Они, как правило, не работают, вся их социальная жизнь протекает в школе. Проводив детишек, они долго стоят в школьном дворе галдящей стайкой, перемывая кости учителям, мужьям и свекровям. Работающие мамаши пробегают мимо них сломя голову, а те провожают их снисходительным взглядом: вот, дескать, несчастные, что ж за жизнь у них такая! То ли дело у нас!

Общественную работу Анечкина мама выполняла рьяно. В школе появлялась ежедневно, постоянно предлагала проводить какое-нибудь мероприятие, причем одна ее идея была нереальнее другой. Она стала кошмаром учителей и директора, которые иногда просто не знали, как отделаться от ее навязчивого участия. И каждый ее визит к учителям заканчивался разговором о том, какая у нее гениальная девочка.

Когда классе в третьем учительница рисования позволила себе оценить Анечкин рисунок — обычную детскую беспомощную мазню — на четверку, скандал был до небес. Мама пришла не одна — в качестве группы поддержки был призван ее супруг, Анечкин папа. Он, правда, в основном молчал, но прерывать супругу не решался. А та готова была растерзать учительницу, которая

посмела не оценить гениального творения ее ребенка.

Анечкина мама обязательно шла с классом в театры и музеи. Когда дети, выстроившись парами, переходили улицу, она доставала из сумки красный флажок — перекрывала движение. Хотя с ее напором она могла бы остановить не только машины, но и самолет или поезд, причем и без всякого флажка — одной силой взгляда, в котором горело слепое, беззаветное обожание собственного ребенка.

Анечка выросла девочкой своенравной — еще бы, ей ведь все было позволено. Кроме того, с ее мамой никто не хотел связываться, поэтому ей всегда шли навстречу. Если мама с утра звонила классному руководителю и сообщала: «Мы заболели», никому в голову не приходило просить справку. Если говорила «Мы не сделали уроки по уважительной причине», никто не возражал — Аню просто не спрашивали, к явному неудовольствию одноклассников. Дети не любят тех, кто на особом положении.

Анечка ничего не делала дома (девочка учится, успеет еще тряпкой помахать), с одноклассниками вела себя высокомерно. И была удивительно несамостоятельной (что и неудивительно при такой маме). В старших классах у наших детей была замечательная классная руководительница, которая предупреждала Анечкиных родителей, главным образом маму, которая дневала и ночевала в школе: «Оставьте девочку в покое, дайте ей жить. Перестаньте ее опекать. Вот увидите — она сорвется с поводка, и вы пожалеете о том, что не отпускали ее ни на шаг». Мама тогда очень возмутилась, даже ходила жаловаться к директору: «Она о моей девочке как о собачке какой-то говорит». Тот был внутренне согласен с коллегой: гиперопека никого до добра не доводила. Но опыт общения с этой неординарной женщиной подсказывал, что лучше не перечить: толку не добьешься, а время потеряешь.

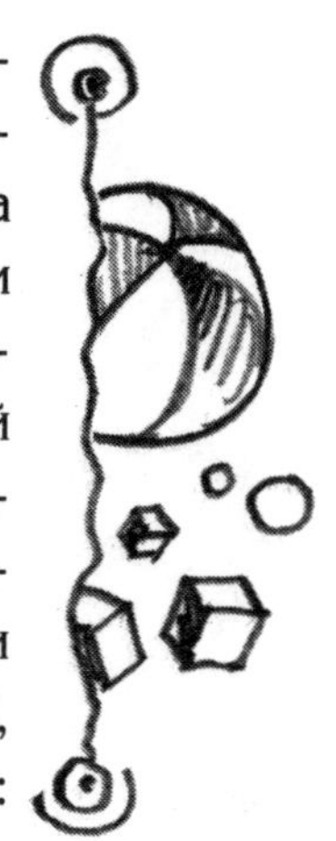

Классная, мудрая женщина, как в воду глядела. Анечка ближе к выпускному правда сорвалась с поводка — иначе не скажешь. То, что среднестатистический подросток переживает лет в тринадцать-четырнадцать, у нее началось в шестнадцать: дух противоречия, желание делать наперекор, отрицание авторитетов. Началось с того, что в школу она стала приходить жутко накрашенной, в вызывающей одежде. На замечания она реагировала агрессивно. Мама,

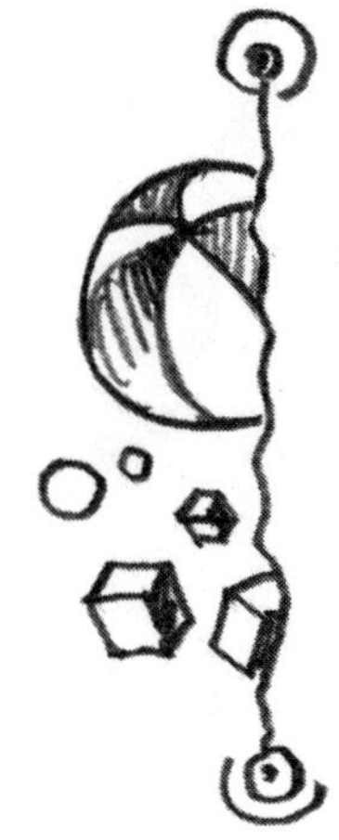

которую пригласили для беседы, была испуганна, растерянна. Ее было до того жалко, что классная руководительница даже отказалась от соблазна произнести сакраментальную фразу «Мы вас предупреждали». Мама хотела услышать от учителей совет, что делать: девочка дерзит, не хочет учиться. Вчера она демонстративно курила в своей комнате! Но какой же совет здесь дашь? Ждите — пройдет? Во-первых, непонятно, сколько ждать, а во-вторых — пройдет ли? Столько лет человека держали за руку, контролировали каждый шаг. А тут на тебе.

— Как вы отреагировали на то, что она курит? — поинтересовалась классная.

— Я растерялась, стала говорить, как вредно курить, особенно девочке. — Анечкина мама почти плакала. — А Анечка... Она сказала, что сама разберется. И дверь закрыла. Она теперь требует, чтобы мы к ней в комнату стучали, прежде чем входить.

— Ну в этом-то нет ничего страшного. Я тоже в комнату к сыну стучу, — заметила классная.

— Но у нас это не принято! У нас нет в семье друг от друга секретов! — На какой-то момент перед учителями опять

возникла прежняя мама-активистка, уверенная в своей правоте, в том, что ее педагогические принципы непогрешимы. Но она быстро сникла.

Дальше — больше. Анечка, пытаясь эпатировать родителей, учителей и доказать, что она не пай-девочка, отправилась пить пиво на крыльцо районного отделения милиции. Была схвачена, доставлена в детскую комнату. Отделалась легким испугом, конечно, дальше дело не пошло. Но родители пережили это, мягко говоря, тяжело. Им казалось, что жизнь кончилась. За считаные месяцы их послушный, замечательный, супергениальный ребенок, надежда семьи, превратился в исчадие ада. На вопрос «что делать?» Анечкиной маме дал ответ школьный психолог, причем ответ предельно точный: оставить девочку в покое, не пытаться ее контролировать, опекать, не ходить за ней шаг в шаг. Разговаривать с ней, как со взрослой, — не спрашивать об уроках, а разговаривать на отвлеченные темы — о книгах, фильмах, музыке, например. «Ее бунт направлен на то, чтобы доказать вам, что она взрослая и самостоятельная. Что она не нуждается в вашем посто-

янном контроле. Вам надо принять это и показать Ане, что вы это поняли».
Мама пыталась возражать:
— Но как же я буду следить за ее учебой?
— Вам сейчас надо думать не об оценках, а о том, как не потерять окончательно доверие дочери. В конце концов, отвлекитесь, займитесь собой. Перестаньте жить только жизнью дочери. — Психологи умеют быть жесткими.
Уж не знаю, чего это Анечкиной маме и другим родственникам стоило, но они последовали советам специалиста. Не сразу, очень медленно, ситуация начала исправляться. Аня убедилась, что всем все доказала, и успокоилась. Поступила в институт, стала встречаться с молодым человеком.
А мама вспомнила, что когда-то получила диплом бухгалтера, и пошла работать. Полагаю, сотрудники бухгалтерии не очень рады такому подарку — в коллективе непросто терпеть человека, который считает себя истиной в последней инстанции и навязывает свое мнение остальным. Но это история для другой книги ☺.

СОВЕТ ПЯТЫЙ

У твоего ребенка должна быть счастливая мама

«С тех пор, как родила, себе не принадлежу». «Ни одного отпуска спокойно не провела». «Как хочется жить для себя». Как часто мы это слышим от измученных жизнью приятельниц, коллег и родственниц. Да что там — слышим! Как часто мы сами это говорим! Да, необходимость делать то, что надо, а не то, что хочется, принадлежать не себе, а кому-то другому, — самое тягостное, что может быть. Что тут посоветуешь? Во-первых, не делай, чего не хочется. А уж если делаешь, постарайся это полюбить. Как говорится, расслабиться и получить удовольствие.

Знаю, многие сейчас подумают: «Ишь, какая умная! Легко сказать!» Не стану утверждать, что сделать это тоже легко. Но вполне реально.

Просто если воспринимать материнство как обязанность, как крест, то этот крест вас рано или поздно придавит. А ведь быть мамой – не профессия, а радость.

Не делай, чего не хочется. А уж если делаешь, постарайся делать с удовольствием.

К сожалению, очень часто молодые мамы настолько напряжены, так стараются все сделать на «отлично», что никак не могут получить кайф от материнства. Они просто еще не умеют относиться к каким-то вещам со здоровым пофигизмом. Это приходит со вторым, третьим ребенком. А если ребенок единственный? Надо ловить момент – второго шанса не будет.

Когда я слышу разговоры о необходимости «забыть себя ради ребенка», всегда вспоминаю анекдот, скорее похожий на притчу. В одном местечке жила очень бедная и очень многодетная семья. Отец семейства денег почти не приносил, и мать из кожи вон лезла, чтобы прокормить детей. Когда она поняла, что завтра, в крайнем случае послезавтра, залезет в петлю, то пошла к ребе – просить совета. Тот ей совет дал, и она немедленно отправилась его исполнять. Вечером дети обнаружили, что мать не хлопочет по хозяйству, не воспитывает их по обыкновению криком и подзатыльниками, а сидит в закрытой комнате. Им стало интересно, что происходит, они открыли дверь и увидели, что она сидит и... ест халву. Халву! Которой они, дети, не ели тысячу лет и о которой мечтать не смели! На их возмущенные вопли: «Мама, что ты делаешь?!» она с просветленным лицом ответила: «Тихо, дети! Я делаю вам счастливую мать!»

Делайте своим детям счастливую мать!

Не забывай о себе, ешь халву – вызови няню и отправься в салон, уговори бабушку посидеть с детьми и сходи с мужем в театр. Если бабушка готова совершить не единоразовый, а многодневный подвиг, поезжайте в отпуск вдвоем с мужем. Главное – чтобы при этом тебя не мучила совесть. Ты не покинула малюток ради прихоти и из эгоизма – ты делаешь им счастливую мать!

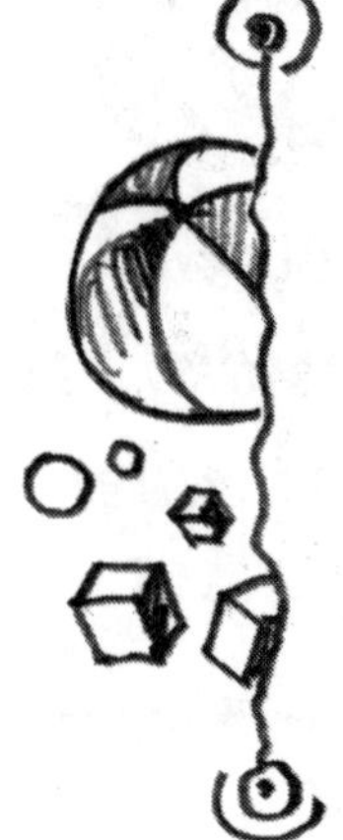

Моя приятельница Наташа с детства была отличницей. Знаете, в каждом классе есть такие девочки: у них самые ровные буквы в прописях, самая аккуратная форма, которая, кажется, даже никогда не мнется. Они всегда готовы к уроку, на любой вопрос учителя знают ответ и навзрыд рыдают из-за четверок, поэтому учителя предпочитают ставить им пятерки во избежание нервного срыва.

У Наташи все было расписано: окончить школу с золотой медалью, институт с красным дипломом, потом — выйти замуж за высокого и стройного молодого человека, желательно блондина, разумеется, из хорошей семьи, родить ребенка, непременно вундеркинда.

И с обычным своим прилежанием и скрупулезностью она эту программу стала выполнять. И все шло как по маслу, пока не родился Петечка, которому была уготована участь вундеркинда. Перед его рождением Наташа проштудировала массу литературы, так что к рождению сына была теоретически вполне подкована. Одна беда — Петя совсем не хотел соответствовать среднестатистическим нормам. Он категорически не желал есть по часам, спать по расписанию, начал улыбаться, первый раз сел и встал на ножки совсем не тогда, когда его маме обещали в книгах.

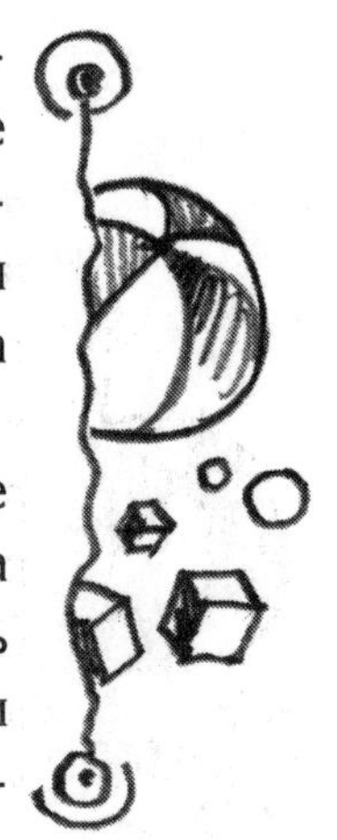

Но главное — Петя категорически не желал становиться вундеркиндом. На все методики раннего развития плевать хотел с высокой колокольни. Кубики Зайцева, которые Наташа клеила по ночам и «начиняла» фасолью, монетами, пробками — и всем остальным, чем велено, валялись по квартире, потому что Петечка норовил поиграть ими в футбол, а лучше — разорвать и засунуть содержимое в рот. По всей квартире были развешены стикеры с названиями предметов на русском и английском. Но сколько Наташа ни подносила или подводила сына к этим стикерам, он категорически не показывал, где window, door, chair, — только жизнерадостно улыбался. У него вообще был легкий характер, он постоянно улыбался — такой солнечный мальчик. А Наташа мучилась: программа стояла на месте. Она с ног сбивалась, по ночам не спала, клея кубики, рисуя карты и разучивая песенки-потешки, чтобы наутро спеть их с Петей.

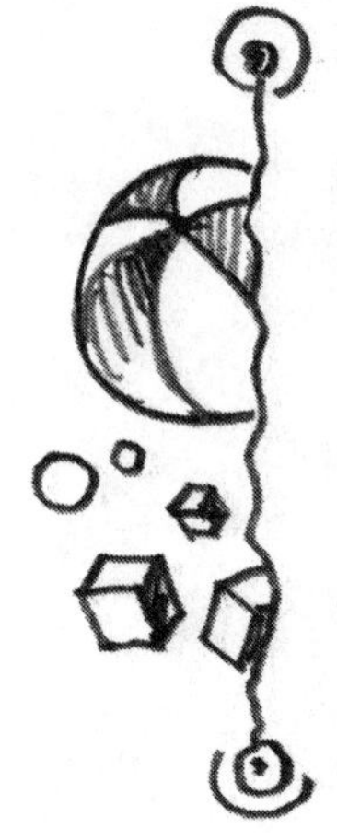

Она лелеяла план водить годовалого ребенка на развивающие занятия, но Петя как чувствовал — едва приходило время собираться на эти самые занятия, он немедленно засыпал, и добудиться его не представлялось возможности.

На детской площадке Наташа познакомилась с Таней и ее дочерью Викой. Таня была компанейской, веселой девушкой, производила впечатление веселой и беззаботной. Наташа, глядя на нее, недоумевала: откуда такая легкость? Она уставала так, что к вечеру валилась с ног, не было сил ни на что. А Таня спокойно сажала дочь в рюкзачок и шла с ней на выставку, в кафе с подружками, даже иногда в кино.

Наташа слушала все это с ужасом: «А микробы? А вдруг ребенок пропустит время еды? А если девочка заплачет? Будет же неудобно!» Таня по этому поводу «не парилась». Это вообще был ее девиз — «Не париться, не напрягаться, получать от жизни удовольствие». Вика ела, когда хотела, спала, когда хотела и, чаще всего, что хотела, если изъявляла желание ползать по земле, мать ей разрешала («Зачем нервировать ребенка? Руки всегда можно помыть, и потом, в природе грязи нет»). Наташа всегда

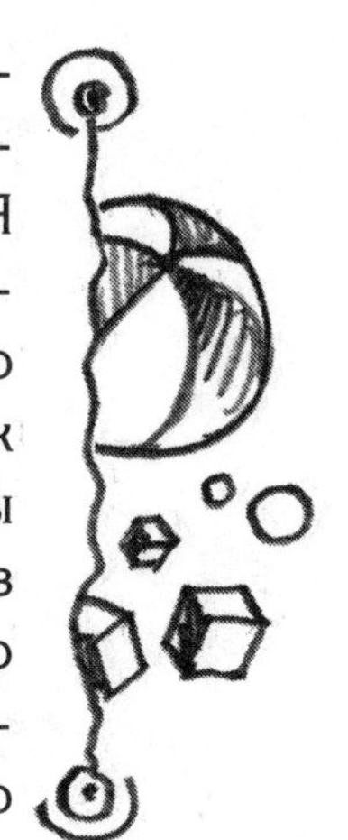

была в напряжении — вовремя все сделать, накормить, уложить, отвести к врачу. А еще — запретить, не разрешить. «Я все время жду, что он еще такого сделает», — жаловалась она на маленького сына. А Тане Наташа завидовала. «Я так не могу», — повторяла она. И однажды ее муж, высокий стройный блондин из хорошей семьи, которому надоело это постоянное напряжение, непрекращающиеся Наташины сетования на то, что Петечка не хочет развиваться, а хочет, по всей видимости, быть самым обычным ребенком, не выдержал и в ответ на ее «не смогу» довольно жестко ответил: «А ты смоги! Ну отстань же от него! Неужели ты не видишь — у нас замечательный ребенок: веселый, улыбчивый, живой. Ну выключи уже девочку-отличницу и давай попробуем жить с тем, что есть. Не будем ставить рекорды». Наташа даже не сразу поняла то, что услышала. То есть как — отстать? То есть как — обыкновенный? Ей понадобилось время, чтобы осознать: а муж прав! К чему эти жертвы? Первым делом она нашла няню — самую обычную женщину, добрую, немолодую. Она не знала ни слова ни на одном иностранном языке, да и в русских словах не всегда верно

ставила ударения. Но Петю любила как родного. А Наташа вышла на работу — здесь все было привычное и знакомое, здесь не было кубиков Зайцева, и здесь она была незаменимым сотрудником, девочкой-отличницей, которая все делает лучше всех.

Домой она шла с радостью — знала, что сын первым делом ей улыбнется, протянет ручки, они с няней продемонстрируют, что научились делать за день: шлепать в сапогах по лужам, пускать кораблики в ванне или еще что-нибудь абсолютно бесполезное, но очень приятное. И Петя перестал быть объектом для претворения в жизнь разных методик, а стал очень любимым ребенком, и напряжение ушло, и в отношения с мужем вернулась романтика — теперь они могли позволить себе оставить Петечку с няней и съездить куда-нибудь или просто погулять вдвоем.

Так что получать удовольствие можно всегда и от всего — просто этому надо научиться.

СОВЕТ ШЕСТОЙ

Старайся вырастить себе друга, а не послушного робота

Я уже говорила и в этой книге, и в предыдущей, но повторю еще и еще, потому что считаю, что это очень важно. В здоровой семье идеально, чтобы все — родители между собой и с детьми — были друзьями. Вырастить себе друга — большое искусство. Зато когда есть о чем поговорить со взрослой дочерью или сыном-подростком на кухне за чашкой чая, когда обнаруживаешь, что вы читаете одни и те же книги и вам есть что обсудить – поверь, это великое счастье. И когда с тобой – не с друзьями-подругами – ребенок первым познакомит свою избранницу или избранника, и когда с тобой, а не с кем-то будет советоваться о самом сокровенном, это будет награда за бессонные ночи и за ту единственно правильную стратегию воспитания, которую тебе, я уверена, подскажет интуиция, разум и любящее материнское сердце.

В здоровой семье идеально, чтобы все – родители между собой и с детьми – были друзьями.

Могу поделиться собственным опытом.

Прежде всего с ребенком надо разговаривать, причем с малых лет разговаривать как со взрослым. Не сюсюкать, но и не орать дурным голосом. Вот сегодня как раз стояла в магазине, рассматривала посуду (вы же помните, это моя слабость!) и вдруг слышу шипение сквозь зубы, да еще с такой яростью в голосе, что даже мне, совершенно постороннему человеку, стало неприятно:

– Отойди, отойди сказала! Не сметь ничего брать! Положи и не трожь!

Это «не трожь» меня добило, и я оглянулась. У соседнего стеллажа стояла вполне миловидная блондинка, со вкусом одетая, в меру накрашенная. Рядом – девочка в пальтишке цвета фуксии и шапочке в тон. Одним словом, не маргиналы какие-то. Видно, что о ребенке заботятся, одевают-обувают. Но вот любят ли? В таких случаях мне всегда приходит в голову одна и та же мысль: «Зачем надо было рожать ребенка, если он тебя так раздражает?» Хотя ответ на этот вопрос я знаю: молодая была, хотела семью «как у всех». Да и потом, положено: выйти замуж, родить ребенка. И вопрос «зачем?» при этом задают себе единицы. В итоге вырастают чужие люди, в семье все друг друга раздражают, постоянные скандалы и напряжение не дают жить спокойно. И еще мелькает у меня мысль, когда приходится наблюдать такие сцены: эта женщина

Прежде всего с ребенком надо разговаривать, причем с малых лет разговаривать как со взрослым.

не задумывается, что когда-нибудь она станет пожилой, беспомощной. И пресловутый стакан воды будет ждать от этой самой девочки, которая сейчас стоит в своем модном пальтеце цвета фуксии и плачет, потому что, видно, искренне недоумевает, за что ее так обидели, зачем так грубо одернули. А если мать и отец и друг с другом так же общаются: грубо, на повышенных тонах, с плохо скрываемым раздражением и злостью, то очень скоро они такое же полное ненависти «Не трожь!» услышат от дочери. И что-либо исправить уже будет нельзя.

Это не значит, конечно, что надо во всем потакать и спокойно смотреть, как дочь хватает с полки дорогой фарфор и того и гляди разобьет его, а вам платить за эти черепки. Но уважать в ребенке человека надо обязательно. Хотя бы для того, чтобы было кому стакан воды в старости принести.

А лучше – чтобы было с кем дружить.

Редко, очень редко бывает, что дети, которые выросли в нелюбви, становятся хорошими, душевными людьми, способными ответить на нелюбовь искренней и абсолютной любовью. Одну такую историю я сейчас расскажу. Она, слава богу, нетипичная, но очень много объясняет, мне кажется.

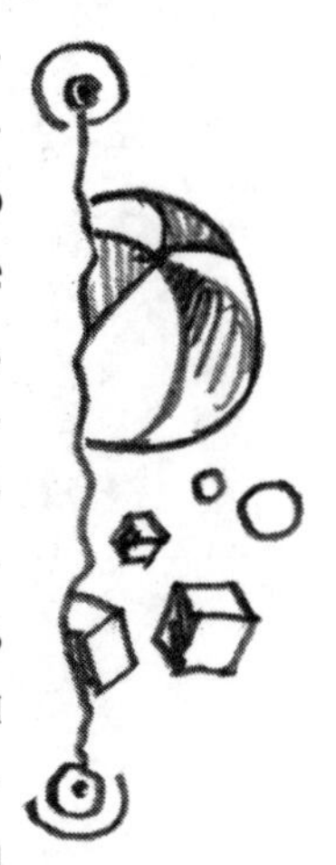

Вера, мать моего одноклассника Женьки, была, как говорили во дворе, гулящей. Летними вечерами она, ярко накрасившись, надев пестрое платье и босоножки на огромной платформе, отправлялась на танцплощадку в ближайший к нам парк — «искать женихов». Где она их искала в другие времена года, уж не знаю. Мне запомнилась именно такая картина: Вера, с мелким шестимесячным бесом на голове, в нарядном летнем платье, покачиваясь на «платформе», походкой от бедра идет к парку. А из окна на нее смотрит Женька. Его опять заперли дома — учился он неважно, оценками мать не радовал, поэтому ремень она со стены снимала регулярно, и тогда Женькины крики слышал весь двор, в том числе мы, его одноклассники. На следующий день он старался не смотреть нам в глаза, робел подходить, и вообще было видно, что ему плохо, стыдно. Мы с девчонками из природного такта никогда не подавали виду, что все слышали, все знаем. А вот среди мальчишек нет-нет и находил-

ся кто-нибудь, кто напоминал Женьке о его криках и унижении.

Наш дом — хрущевская пятиэтажка, жильцов немного, все друг друга и друг о друге знали. Мы слышали, как старухи на лавочке у подъезда шептались, что «прижила Верка пацана неизвестно от кого», что «эта шалава толком нигде не работает, малец иногда, кроме хлеба, ничего и не ест». Сердобольные соседки старались Женьку подкормить — то оладушки вынесут, то пряник сунут. Он чаще всего отказывался — было у него какое-то недетское достоинство.

Потом Вера нашла жениха. У меня слово «жених» тогда ассоциировалось с красавцем, как в сказках, — этаким добрым молодцем. Верин жених был совсем даже не красавцем и совсем не молодцем. Невзрачный мужичонка лет пятидесяти, лысый, с сальной прядью, зачесанной поперек блестящей лысины, с темными кругами под мышками, в видавших виды штанах и мятом пиджаке. На коротком волосатом пальце с обгрызенным ногтем у него был золотой перстень, который он, когда разговаривал, беспрестанно крутил.

Когда Сергей Ильич — так звали Веркиного избранника — появился, Женьке

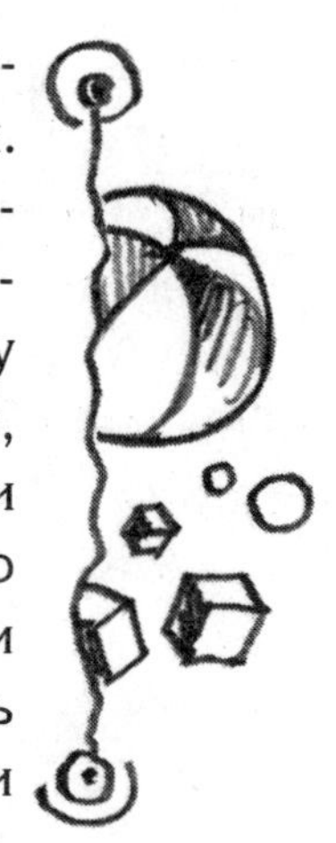

вовсе не стало житья. Теперь мать с отчимом хватались за ремень по очереди. Верка хвастала соседкам, что «Сережа обещал из Женьки сделать человека». Но, к Женькиному счастью, отчиму очень скоро надоела роль воспитателя, а тут Верка забеременела, и они сдали Женьку в интернат. На выходные его сначала редко, но забирали, а потом и вовсе перестали. У Верки родилась болезненная, слабая девочка, назвали ее Ларисой.

Кричала девочка днем и ночью. Слышимость в хрущевках отличная, поэтому все соседи слышали, как к надрывным крикам ребенка примешивался нечеловеческий, прямо-таки звериный ор Сергея Ильича. «Да уйми ты ее уже!» — кричал он Верке, неизменно добавляя трехэтажную конструкцию. Та в долгу не оставалась, девочка кричала еще громче, родители ее принимались браниться ожесточеннее. В общем, ад. А потом Сергея Ильича посадили. Я по детской наивности решила, что его осудили за то, что он так страшно ругается на Верку и Ларису. Но однажды подслушала разговор взрослых: посадили его за растрату. Он, оказывается, работал кладовщиком на обувной фабрике и постоянно

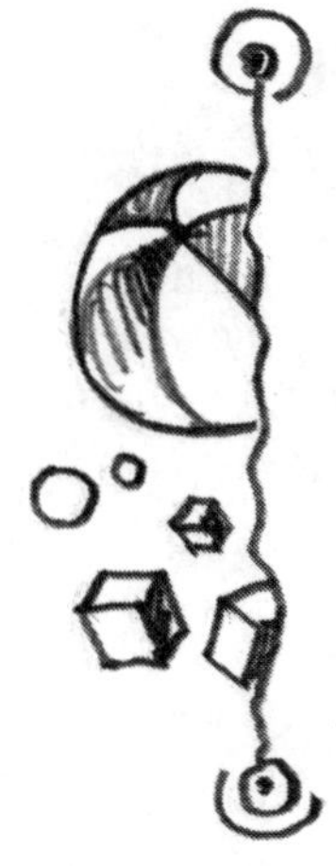

таскал, что плохо лежит, а потом продавал.

После его исчезновения стало потише, но ненамного. Лариса день и ночь плакала, Верка на нее кричала. А потом Верка пошла работать продавщицей в магазин. Сидеть с Лариской было некому, в ясли ее отдавать не имело смысла — все равно заболеет на второй день. И тогда Верка вспомнила о том, что у нее есть еще один ребенок, и забрала Женьку из интерната. Теперь он пулей летел после уроков домой — сменить мать, которая уходила в свой магазин во вторую смену. Играть с нами он по-прежнему не мог, но зато теперь жил дома, а мать перестала его воспитывать ремнем. Видно, какая-никакая совесть у Верки была. Она понимала, что сын — ее единственная опора. Женька всю работу по дому делал безропотно, кормил сестру, укладывал ее спать, пытался петь песни и читать ей на ночь книги. Детских книг Верка не держала, не до глупостей ей было, поэтому Женька читал сестренке вслух свои учебники.

Наши родители даже ставили Женьку в пример: вот ведь какой серьезный, настоящий помощник! Вас даже мусор не заставишь вынести, а он и убирает, и кашу варит, и за сестрой ухаживает. Кашу, кстати, вечно голодный Женька варил весьма своеобразно: высыпал в молоко манку (другой крупы Верка почему-то не покупала), мешал ее в кастрюле ложкой, а комочки, которые толком не мог размешать, тут же вылавливал и съедал.

Жили они не просто бедно — скудно. Женька вечно ходил в обносках, Лариса лежала в коляске, доставшейся от соседей, в ветхих пеленках, отданных Верке теми же сердобольными соседями. К тому же Верка стала попивать и иногда просто забывала купить продукты. Пару раз теряла деньги. Дошло до того, что Женька вынужден был в день получки встречать мать у магазина, чтобы буквально вырвать хотя бы часть денег и купить какой-нибудь еды.

В общем, пока мы играли в казаки-разбойники, а потом в «бутылочку», читали романы и крутили собственные, влюблялись, ссорились, строили планы, Женька проходил суровую школу жизни. Лариса подрастала, Верка спивалась, у него не было выбора — он должен был быть взрослым.

После восьмого класса Женька, ясное дело, из школы ушел — подался в ПТУ,

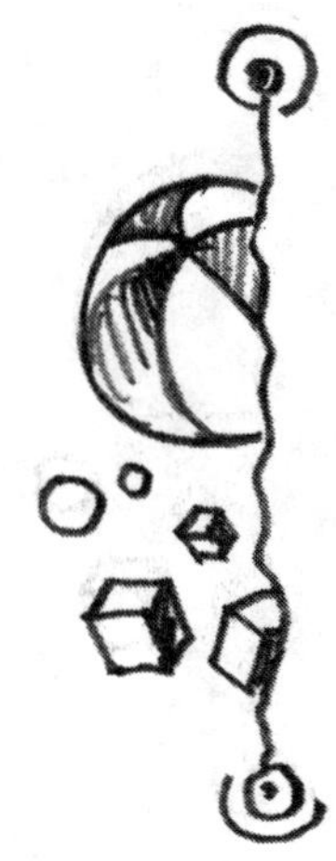

учиться на плиточника. Дело прибыльное. По большому счету ему было все равно куда, да и с его оценками выбор был невелик. А потом он и вовсе ушел в армию. Тут Верка ударилась во все тяжкие, пила без просыпа, стала продавать вещи из дома, не стесняясь дочери, водить собутыльников — забулдыжного вида мужиков и теток.

Через два года Женька вернулся в квартиру, где, кроме старой кровати с помойки, на которой валялась пьяная мать, и продавленной раскладушки, на которой спала, время от времени скатываясь на пол, Лариса, ничего не было.

И он, что называется, впрягся по полной. Теперь вся его жизнь состояла из учебы (надо было доучиться в ПТУ), работы (надо было заработать хотя бы на еду себе, матери и сестре). А еще он бесконечно рыскал по району в поисках пьяной матери — находил ее в чужих дворах, в квартирах, где собирались такие же, как она, опустившиеся маргиналы. Сердобольные соседки уговаривали его «бросить это дело».

— Горбатого могила исправит, — говорила ему Матрена Титовна, милейшая соседка с первого этажа. — Ты, сынок, свой век не заживай. Молодой ведь.

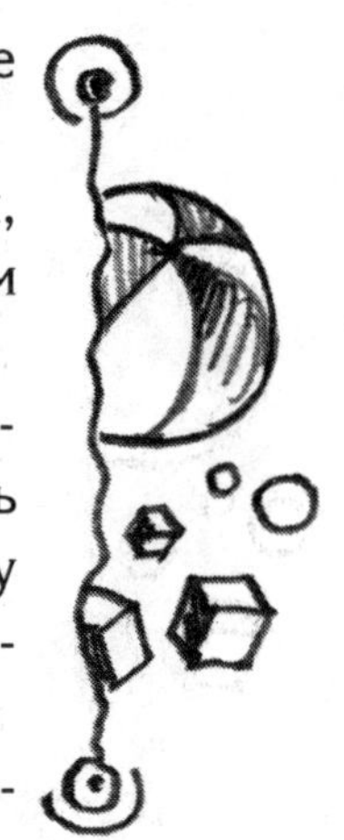

Пойди погуляй, отвлекись, девушку себе найди.
Женька невесело усмехался — понимал, ни одной девушке он с таким приданым не нужен.
Верка заботу сына принимала как должное. Когда старухи у подъезда пытались ее совестить, отвечала, дескать, я ему всю молодость отдала, выкормила, вырастила, «он мне теперь должен».
Ее не стало, когда Жене было лет двадцать пять. Как она вообще протянула столько лет, было непонятно — редкая печень выдержит такое количество спиртного. Похоронив мать, Женька совсем даже не воспрянул духом и не воспринял ее смерть как избавление, в отличие, кстати, от сестры, которая радости не скрывала. Женька убивался по матери, плакал на похоронах — и тогда у меня мелькнула мысль: «А ведь он ее любил. По-настоящему. Так, как любят только родителей. Не за что-то, а просто так. В Женькином случае даже не просто так, а вопреки».
Недавно мы собирались с одноклассниками — активные девочки (теперь уже не девочки, конечно, а тетеньки) нашли всех через социальные сети, все организовали. Молодцы, одним словом.

Женька приехал на джипе, был он хорош собой, в дорогом костюме, благородная седина в волосах. Он уже не плиточник, а владелец строительной фирмы.

Так получилось, что мы с ним пошли танцевать, потом разговорились, и он неожиданно разоткровенничался — понимал, что я все о его семье знаю. Слово за слово, разговор зашел о детях. Тема богатая, всегда есть что рассказать. Женька о своем сыне Сане говорил с гордостью, со сдержанной такой радостью.

— Знаешь, иногда выкинет что-нибудь такое, что волосы дыбом. Но я его ни разу — веришь — ни разу пальцем не тронул и голоса не повысил. Мать мне как прививку сделала — на всю жизнь. Я, когда Саня родился, поклялся себе самой страшной клятвой: мой сын никогда не переживет ничего такого, что пережили мы с Ларисой.

И тут я осмелилась и спросила:

— Но ты ведь все равно мать любил?

Женька вроде даже удивился такому вопросу, как будто я поинтересовалась, круглая ли Земля и правда ли, что Волга впадает в Каспийское море.

– Любил. Конечно, любил и люблю. Она же мать мне. Но то, что руку на меня, маленького, поднимала, а потом Лариску лупила, помню и не прощу. Так что когда Саня у меня что-нибудь этакое вытворяет, я иной раз кулаки об стену оббиваю, но его ремнем не наказываю, никогда. Жена иногда может шлепнуть, но не больно и не обидно — так, для порядка, нервы, знаешь, иногда не выдерживают. И то — я ей запретил это делать.

Вот так – Верка не воспитывала сына и делала все, чтобы он ее возненавидел. А поди же – добилась обратного результата. Но мой опыт говорит о том, что так бывает очень редко: отношения с ребенком, как и отношения с мужем, надо выстраивать – ежедневно, ежечасно.

А что же делать, когда все-таки сдают нервы?

Здесь нет рецепта. Можно оббивать кулаками стены, как мой одноклассник Женька (пардон, Евгений Васильевич), можно считать до десяти, при этом стараясь ровно дышать. А можно гаркнуть во все горло. Вы же живой человек, не манекен. Но не часто – и не грубо. Щадите достоинство своего ребенка. Старайтесь его понять.

Если есть силы – объясните, почему это можно, а это – нет. И не наказывайте за оценки. Школа после одиннадцатого класса закончится, а ваши отношения продолжатся. Двойка за контрольную в пятом классе забудется, уж поверьте, и на качество образования в целом никак не повлияет. А вот безобразный скандал из-за двойки останется в памяти, и не исключено, что на всю жизнь.

СОВЕТ СЕДЬМОЙ

Будь последовательна – запретила так запретила

Очень большая проблема любого родителя, особенно матери, – не дать слабинку. Вроде сначала запретила, потом ребенок начинает канючить, или его становится жалко, или просто уже нет сил объяснять, почему нельзя, и проще согласиться. Как опытная мама, должна сказать – это очень большая ошибка. Дети – хи-

Дадите слабинку – из вас совьют веревки.

трые создания ☺. Они постоянно пощупывают: до какого предела могут дойти в своих капризах. И если показать им, что из вас можно вить веревки, будьте спокойны: они эти веревки совьют, мало вам не покажется.

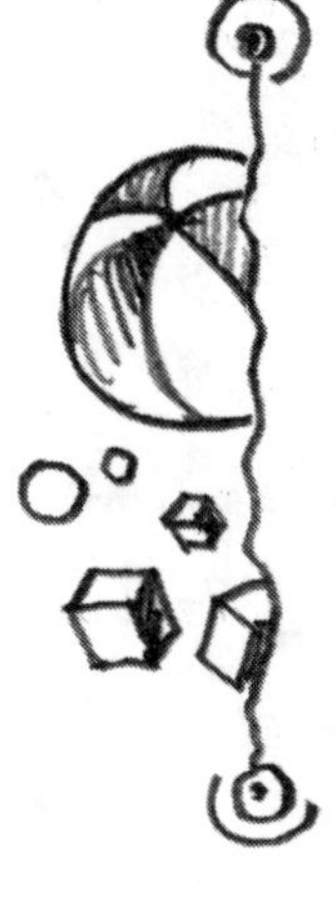

Алина — мать очаровательного десятилетнего негодяя Димы. Дима действительно невероятно обаятелен: хитрющие жгуче-черные глаза, длиннющие ресницы, кудрявые черные волосы. Смерть девчонкам, одним словом. Он развит не по годам: Алина приложила много сил, чтобы мальчик полюбил читать, у Димы отлично развита речь, он неплохо для своего возраста рисует. Но у Алины с недавних пор появилась серьезная проблема, которая ее мучает.

— Мы с Димкой все время, с самого его рождения, были друзьями. Ну мне правда с ним интересно, я могу отказаться от вечера с подругами, чтобы остаться с сыном. Мы любим валяться на диване и читать вслух, смотреть его и мои любимые фильмы. Если муж хочет присоединиться к нашей компании, мы не возражаем, конечно, но и вдвоем нам очень здорово.

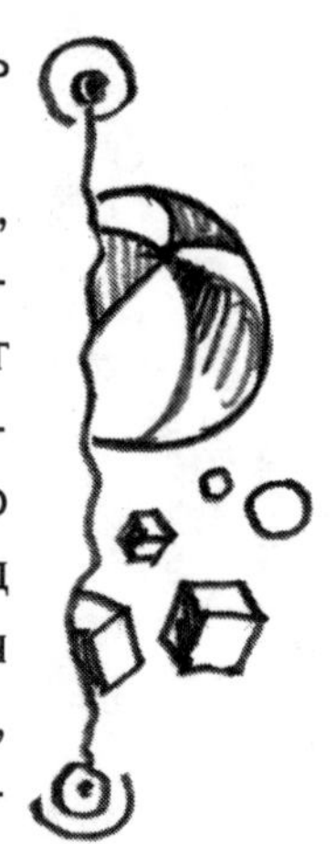

Но в последнее время я стала замечать, что Дима относится ко мне как к подружке. То есть он, конечно, спрашивает у меня разрешения, например, не пойти в школу, если очень не хочется. Но если я говорю «нет», то пускает в ход весь арсенал приемчиков, чтобы меня уговорить: от грубой лести («Ты у меня, мамочка, самая красивая, самая любимая, ни у кого такой нет») до шантажа («Я все равно не пойду, только так бы я дома остался, а если ты не разрешишь, придется по улицам ходить. Я наверняка простужусь, заболею, тебе придется меня лечить. Билеты в театр пропадут, рисование пропущу»). И если эти дурацкие заходы не действуют, он начинает просто канючить на одной ноте или убеждать меня, что делать именно завтра в школе «ну совсем нечего», что там завтра не будет «ничего серьезного», что он «устал». И я сдаюсь. Чтобы хоть как-то сохранить лицо, говорю что-то вроде «Но только в последний раз» или «Тогда дам тебе дополнительные задачи по математике». Но этот хитрован прекрасно знает, что далеко не в последний раз и что никакие задачи он решать не

будет — просидит у телика или проваляется с книжкой.
Причем отца Дима никогда так не уламывает, если тот сказал «нет» — это значит «нет», и сын прекрасно понимает, что папа не изменит своего решения.
Боюсь, чем дальше, тем все сложнее мне будет поддерживать авторитет.

Ну что тут скажешь? Знаете, мне очень нравятся такие дружеские отношения матери и сына, честное слово. Но вот то, что Дима матерью откровенно манипулирует, конечно, ни в какие ворота не лезет. Я посоветовала Алине обратиться к психологу – думаю, ей стоит разобрать ситуацию, проанализировать ее, понять, в какой момент она в панибратских отношениях с ребенком зашла так далеко. Скорее всего, вернуться и исправить ситуацию еще можно.

Если речь идет о здоровье и безопасности любимого дитятки – торг уместен.

Я не психолог и могу дать только житейский совет. Мне кажется, напрасно Алина сразу на все просьбы говорит «нет». Это, к примеру, касается ситуации с прогулом школы. Помните пословицу: «Не можешь подавить бунт, возглавь его». Так и здесь: очевидно, Диме в школе скучновато. Ну не пойдет он туда раз в месяц – никому хуже от этого не будет, как ни крамольно это звучит. Если сразу сказать «да», то вполне можно «возглавить бунт»: предложить распорядок дня, где найдется время дополнительным урокам (той же математике, о которой шла речь) и «ленивым» часам. Мальчик не будет бесконтрольно сидеть у телевизора, а проведет время с пользой, Алина не уронит авторитет, Дима будет доволен.

Не давайте собой манипулировать.

Кстати напомню, что в книге «О детях, мужьях и не только» я писала о маме, которая совершенно на законных основаниях разрешала дочери прогуливать школу раз в месяц. По-моему, очень разумно.

Есть, конечно, просьбы, которые выполнить ну никак нельзя. Ни одна нормальная мать не разрешит, скажем, в лютый мороз идти без шапки (почему-то всем детям кажется, что это ну очень круто). Так же, как вменяемые родители вряд ли позволят тинейджеру поехать с друзьями на дачу с ночевкой. Да мало ли что еще разрешить нельзя ни под каким видом. Вот здесь совет — стоять намертво, как скала. Если разумные доводы («Нельзя, потому что...») не помогают, советую просто включить авторитарного родителя и твердо сказать, мол, «этого не может быть, потому что не может быть никогда». Мужайтесь, крепитесь, соберите нервы волю в кулак. Уверяю вас — если и выстоите один раз, ваше слово приобретет вес, и в будущем вам это очень пригодится. Но, опять же, мудрые матери знают: чтобы настоять на своем в чем-то важном, нужно уступить в мелочах.

Ну а если совсем не чувствуете в себе решимости быть категоричным и боитесь все же дать слабину — торгуйтесь. «На дачу не поедешь, но я разрешу тебе пойти на день рождения и куплю подарок». «Шапку придется надеть, но я готова купить тебе такую, которая тебе нравится».

Конечно, это малодушно, но если речь идет о здоровье и безопасности любимого дитятки — торг уместен, еще как!

Но если между тобой и ребенком и в помине нет дружеских отношений, то неумение договариваться может привести к ужасным, прямо-таки плачевным результатам.

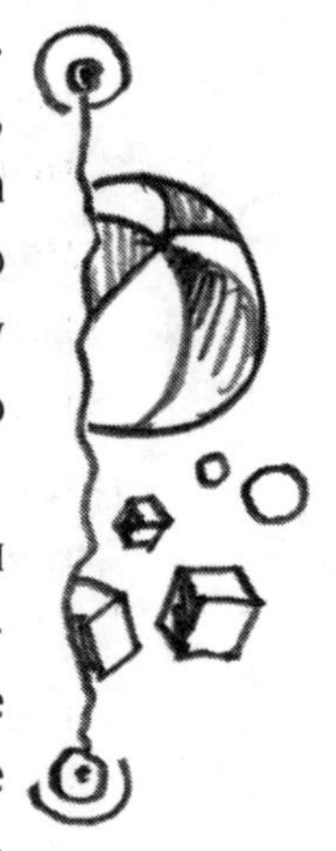

Илья рос в очень обеспеченной семье. У его отца был строительный бизнес, так что Татьяна, Илюшина мать, могла «полностью посвятить себя воспитанию ребенка». И она посвящала себя этому нелегкому занятию с таким рвением, что мальчика иногда было жалко.

Во-первых, его забрали из школы, где он худо-бедно учился. Звезд с неба, правда, не хватал, но и двоечником тоже не был. Перевели мальчика на домашнее обучение, чтобы он не общался с детьми, не «учился у них плохому».

И у Илюши стал на глазах портиться характер. Учителей своих домашних он планомерно и по-садистски доводил — разговаривал с ними как с прислугой, уроки не делал, а чуть что — жаловался маме, которая была рада почувствовать свою власть и лишить очередного неугодного учителя работы.

Договариваться Татьяна с сыном не могла патологически. Из нее он тоже вил веревки, не хуже, чем из учителей. Например, с понедельника был уговор — Илюша убирает свою комнату (не важ-

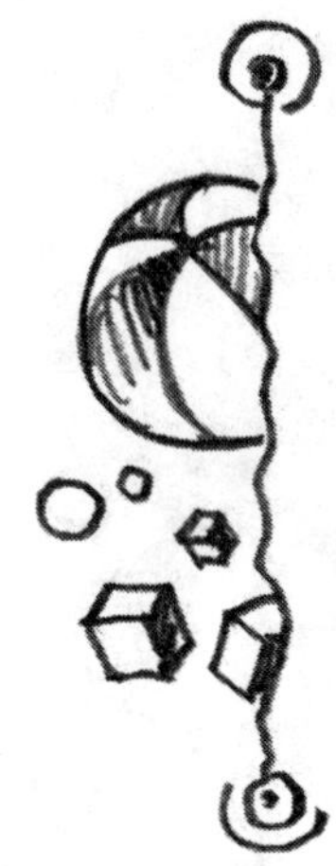

но, что ее убрала накануне домработница — мальчик же должен что-то делать сам, это очень прогрессивно, «по-западному»), за это получает гонорар. Илюша убирать комнату и не собирался, но на обещанные деньги очень рассчитывал, поэтому шел другим путем: устраивал либо жалостливую истерику, либо скандал — и деньги оказывались в его кармане. Татьяна, чтобы не признавать поражения и полного педагогического фиаско, говорила сама себе: «Но ведь мальчик в следующий раз уберет». Хотя было понятно, что не уберет — ни в следующий раз, ни через месяц, ни через год — никогда. Просто в отношениях с матерью ему даже не приходилось толком искать способы воздействия на нее — он действовал в лоб и прекрасно знал, что она сдастся, и очень быстро.

Точно так же было и с телевизором. Татьяна пробовала регламентировать время, которое Илюша проводил за просмотром всего подряд, но тщетно. Да и как можно было его убедить не смотреть «ящик», если в спальне родителей, в кухне и гостиной он был постоянным фоном.

В общем, госпожа Простакова и Митрофанушка, перенесенные в XXI век.

Илюшин отец, Кирилл, был в отличие от жены человеком вполне разумным. Он прекрасно понимал, что забирать мальчика из школы нельзя, что жена его балует, позволяет собой манипулировать. Но он был очень занят, приходил домой абсолютно вымотанный, а иногда и вовсе не приходил. Их отношения с Татьяной с каждым днем становились все хуже. Она уже не была веселой, легкой в общении — постоянно злилась, кричала на прислугу, на сына, все время что-то требовала. Как часто бывает в таких случаях, Кирилл стал изменять жене. Секретарша Галочка в отличие от жены ничего не требовала, была нежна, покладиста, скромна в желаниях. Татьяна начала догадываться, что вовсе не в командировки Кирилл ездит так часто, и от этого злилась и скандалила еще больше. Илюша привык к перепадам ее настроения, замечательно научился чувствовать, когда пустить слезу, когда поиграть на чувстве вины, а когда просто поскандалить.

Кирилл понимал, что надо что-то делать, но... были у него заботы и посерьезнее. А между тем учился Илья все хуже, учителя — кто посмелее, конечно, — жа-

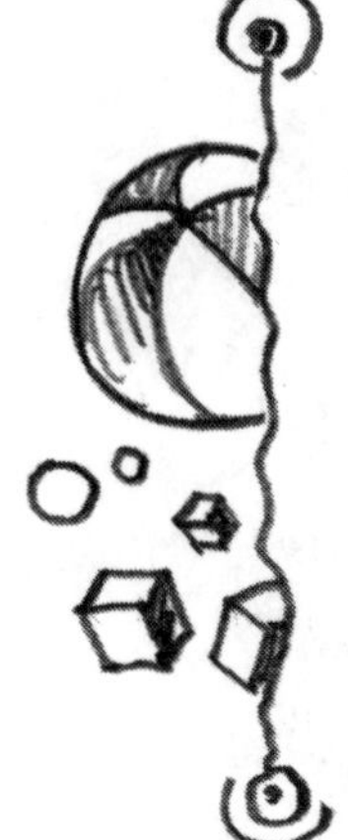

ловались на него: неусидчивый, учиться не любит, знаний нет. Татьяна отвечала вполне в духе госпожи Простаковой: мол, не за ваши жалобы вам деньги платят. Не хотите — скатертью дорога, других найдем.

Она то вывозила из дома компьютер и телевизоры (да, было и такое), то, не выдерживая истерик кровиночки, привозила обратно.

Очередную погрузку компьютера в машину застал Кирилл. Он с любопытством поинтересовался у супруги, что происходит. Она в свойственной ей агрессивной манере объяснила, что, пока он «шляется по бабам», его сын совсем от рук отбился, играет целыми днями, а если не играет, то «пялится в телик», причем смотрит все — от «Пусть говорят» и «Давай поженимся» до сериалов и «Битвы экстрасенсов».

И тут Кирилл понял, что Галчонок Галчонком, работа работой, а сына он так потеряет. И отправил мальчика учиться в Англию. В школу, практически описанную в «Дэвиде Копперфилде» Диккенса — только без телесных наказаний и издевательств. Все-таки не XIX век на дворе. Татьяна была поначалу против, но даже она поняла, что надо что-то делать. И строгая дисциплина, без поблажек, — то, что ее дитятку сейчас особенно необходимо.

А не было бы у семьи денег на заморские учебные заведения? Не знаю, что бы они делали. Разве что в кадетский корпус бы определили.

Одним словом, учитесь договариваться, а уж если договорились, не давайте собой манипулировать – договор дороже денег!

СОВЕТ ВОСЬМОЙ

Играйте с мужем на одном поле

Хуже нет, чем коалиции в семье. «Я не скажу отцу, что ты получил двойку, а то он тебя накажет», «Не говори маме, что я отпустил тебя на дачу с ночевкой». «Я дам тебе денег, только не говори отцу (матери)». Чаще всего отцы и матери поступают так некрасиво из желания купить любовь или избежать конфликта. То есть, вместо того чтобы договариваться, малодушно лгут.

И даже в семьях, где все на первый взгляд благополучно, мама с папой не в разводе, детей оба любят, друг друга тоже – по крайней мере разводиться не собираются, они часто играют на разных частях поля, забивая гол друг другу в ворота.

Так быть не должно ни в коем случае. Прежде всего потому, что, создавая такие союзы, «пытаясь против кого-то дружить», вы роете яму самим себе: даете ребенку повод и инструмент для манипулирования. «Ага, ты не отпускаешь меня с друзьями на дачу?! Тогда я расскажу папе, что ты меня просила не говорить ему о...»

И даже если ваши дети – не наглые манипуляторы, а ангелы во плоти, вы, подговаривая обмануть (не сказать правду) второго родителя, лишаете их ощущения надежности.

Пытаясь дружить против другого родителя, вы роете яму самим себе.

Это, конечно, не значит, что вы с мужем должны смотреть одни и те же фильмы, читать одни и те же книги или придерживаться одних и тех же политических взглядов. Это значит, что вы должны уметь договариваться, и прежде всего в принципиальных вопросах, в том числе связанных с воспитанием.

В семье моей школьной подруги Олечки мама, сама Олечка и ее старшая сестра Вичка все время что-то скрывали от отца. Отец, Павел Петрович, был начальником цеха, секретарем парторганизации огромного завода. Сколько его помню, был он преисполнен собственной важности. Высокий, грузный, ходил не спеша, будто боялся расплескать что-то важное внутри себя, говорил неторопливо, веско — как привык на партсобрании. Мне казалось, что ему много лет — сейчас я понимаю, что, когда мы с Олечкой учились в старших классах, ему было всего ничего — лет сорок пять. Дело происходило, как вы понимаете, давно, в семидесятых годах, когда члену партии, а тем более секретарю парторганизации верить в Бога было никак нельзя — чтобы не лишиться всех званий, чинов и вообще, как тогда говорили, не «положить на стол партбилет». Кто жил в те времена, помнит, что это была серьезная угроза.

Вы с мужем союзники – не забывай!

Олечкина и Вичкина мама Тамара Сергеевна работала на том же заводе, что и муж, трудилась в бухгалтерии. Женщина простая, в партию она не вступала, потому что «охота была на этих собраниях высиживать, когда дома дел по горло». Тамара Сергеевна, правда, была отличной хозяйкой, очень чистоплотной, готовила отлично, могла из мороженого минтая или «пришедшей пешком из Воркуты курицы» сделать такой обед — пальчики оближешь. При этом Тамара Сергеевна была очень верующей — истово и искренне. В спальне у нее висела икона, а поскольку спальню она делила с партийным супругом, то красный угол с иконой всегда был завешен тяжелой портьерой, чтобы лишний раз не будить в Павле Петровиче зверя: он и снять икону не смел, и держать ее в доме боялся (а ну как увидят).

Фраза «Только отцу не говорите» в доме звучала рефреном. Тамара Сергеевна считала себя женщиной умной, даже мудрой, спорить с мужем не хотела, понимала, что переспорить его невозможно, но и делать, как он хочет, часто тоже нельзя. А пока все шито-крыто, в доме тишь да гладь. Что еще надо?

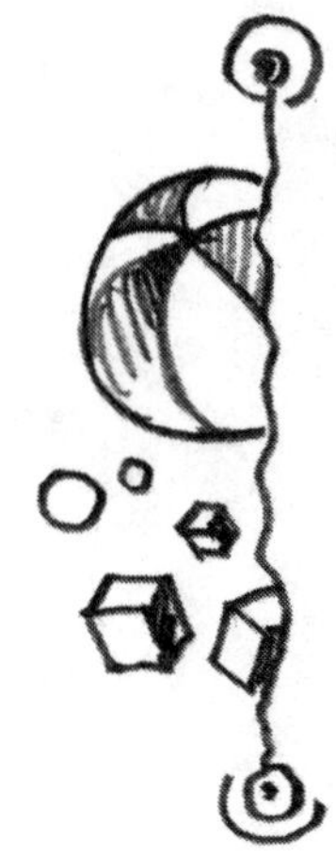

Бывали в их семействе истории, на мой взгляд, дикие, абсурдные. Павел Петрович придерживался патриархальных взглядов на моду и считал, что девушкам ходить в брюках, а тем более в джинсах, неприлично, и это мягко сказано. Тогда, в семидесятые, джинсы были заветной мечтой любой девушки, и достать их было невероятно сложно. И вот однажды Вичка, тогда студентка, пришла домой в страшном возбуждении — ей удалось достать джинсы. Голубые! Фирменные! С заклепками! С лейблом! Сидят — потрясающе! Она в них казалась себе принцессой. Наверное, Золушка так не радовалась бальному платью и карете, как Олечкина сестра тем штанам из дерюги. В общем, современным барышням не понять, а мои ровесницы, думаю, вспомнят такую ситуацию, и не одну.

Стоили джинсы сто семьдесят рублей. Это огромные по тем временам деньги: две зарплаты молодого инженера или учителя. Тамара Сергеевна, видя Вичкин восторг, понимала: не купить джинсы значит... Ну я не знаю даже, с чем сравнить. Это все равно что отрезать крылья, лишить мечты, спустить с небес на землю. Зарабатывали они с супругом хорошо, оба были передовиками социалистического производства, завод план выполнял, так что премии, прогрессивки и прочее выплачивалось исправно. Вздохнув, Тамара Сергеевна полезла в бельевой шкаф за заначкой и выдала задыхающейся от восторга дочери требуемую сумму с неизменным комментарием: «Только не говори отцу». А тут и говорить нечего — он же сам все увидит. Косметику Олечка и ее сестра стирали, поплевав на носовые платки, в парадном (на этот счет у их отца тоже имелись жесткие принципы: только естественная красота, никаких теней, помад и прочего), а штаны как снимешь в парадном? Люди все-таки ходят. Договорились, что джинсы Вика спрячет поглубже в шкаф, а надевать станет, только когда отец работает во вторую смену. Утром, когда она пойдет в институт, он еще будет спать, а вечером, когда она вернется, его не будет дома.

Чувствуя себя великим стратегом и непревзойденным дипломатом, Тамара Сергеевна успокоилась: все довольны, в семье мир, можно накрутить бигуди — и спать.

План работал несколько месяцев, но тайное всегда становится явным: как-то Павел Петрович, проснувшись утром,

почувствовал, что простудился, и на работу не пошел. Предупредить Вичку о форменной засаде, которая ждала ее вечером, не представлялось возможным: мобильных телефонов и даже пейджеров еще не было.

Прошмыгнуть в комнату незаметно ей не удалось: стосковавшийся по домашним Павел Петрович вышел встречать дочь в прихожую и увидел... О боже, что он увидел: голубые тени, умело подведенные черным химическим карандашом глаза, перламутровую помаду на губах, а главное — джинсы! В обтяжку! Как у шлюхи какой! И это его дочь! Студентка! Комсомолка! Думаю, соседи в тот вечер узнали много нового про внешнюю и внутреннюю политику СССР, потому что про разлагающуюся молодежь, льющую воду на мельницу идеологического противника, Павел Петрович кричал громко, как на митинге. Вичка и не думала возражать — слушала молча. Тамара Сергеевна с Олечкой отползли в спальню и там затаились — ждали, когда придет их очередь.

И она пришла, конечно.

— Мать! — громовым голосом взвыл Павел Петрович. — Ты знала?!

Супруга молчала. А что здесь скажешь?

— Знала! — Павел Петрович со всей очевидностью понял, что Тамара Сергеевна его — как бы помягче сказать — предала. А иначе откуда паршивка дочь взяла деньги? Копить она не умеет, да и что там скопишь с этой ее стипендии! — Сговорились!

Тамара Сергеевна поняла, что дело принимает нешуточный оборот, и взмолилась:

— Паша! У тебя температура! Тебе нельзя волноваться! Ну купила она эти джинсы и купила! Все сейчас в таких ходят! У Вички вон фигура отличная, когда ж пофорсить, как не в молодости! Это она, конечно, сказала напрасно — все равно что масла в огонь плеснула.

— Все?! — Павел Петрович покраснел, на могучей шее вздулись жилы. Олечка потом, когда в лицах пересказывала мне этот «папашин спектакль», призналась, что это было страшно: казалось, у него сейчас разорвется какой-нибудь сосуд, и поминай как звали. — Все?! Моя дочь — не все! Я коммунист, передовик! Не позволю!

И тут Тамаре Сергеевне отказал и природный ум, и житейская мудрость, и хитрость.

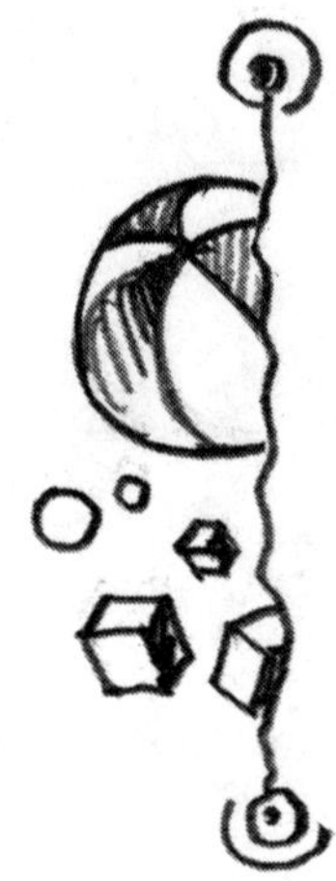

— Да ладно тебе, Паш, — пытаясь сбить пафос, примирительно-простодушно сказала она. — Чего ты как на собрании. Мы ж все свои здесь.
Павел Петрович покраснел еще больше и метнулся в кухню, откуда с неожиданной для его грузной комплекции прытью вылетел с ножницами, которыми Тамара Сергеевна разделывала курицу.
— А ну снимай, — взревел он.
— Папа! — Вика, понимая, что ее ждет, пыталась воззвать к отцовским чувствам. — Я тебя прошу! Ну пожалуйста! Не делай этого! Я их с таким трудом достала! Ну почему, почему всем можно, а мне нельзя! Ты меня совсем не любишь!
Павел Петрович, задыхаясь от ярости, шумно дышал, было очевидно, что менять свое страшное решение он не намерен. И Вичка стянула джинсы, которые отец немедленно превратил в несколько бесформенных кусков, а потом для верности потоптал их.
Тамара Сергеевна, видя, что терять нечего, уперла руки в боки и заголосила:
— Ну поздравляю! Нет, я тебя поздравляю, Паша! Сто семьдесят рублей ты сейчас вот этими ножницами изрезал! Сто семьдесят! Две наши с тобой премии! Шкаф могли в спальню купить! Два

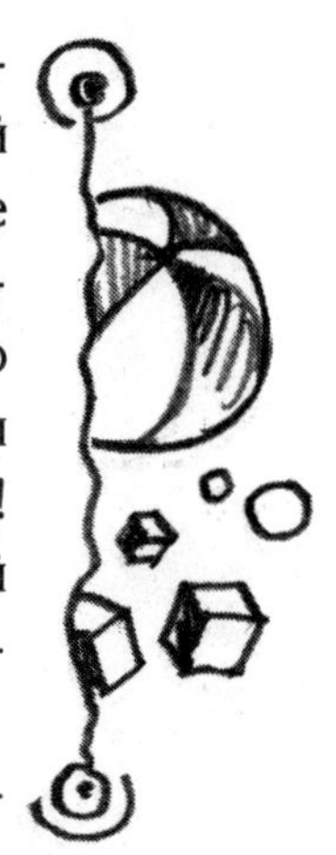

костюма тебе! Пальто я могла себе справить! С норкой, между прочим! — Тут ей стало себя жалко, и она заревела. — Не понравилось, видите ли, тебе! Не понравилось, что девка оделась модно! Что она не хуже других! Что на нее парни заглядываться стали! Не понравилось! А что ей, до старости в пионерской форме ходить? Или, может, в платье каком сиротском?

Вичка, которая все это время держалась, тоже зарыдала.

Но Павла Петровича было не так-то просто разжалобить. Услышав про сто семьдесят рублей, он пришел в ярость, подскочило давление, немедленно прихватило сердце.

Все-таки людям с такой комплекцией стрессы противопоказаны, что и говорить.

Врачи «Скорой», которую вызвала Тамара Сергеевна, увидели картину, которую, наверное, еще долго потом вспоминали: посреди прихожей сидел на полу, привалившись к стене, задыхаясь, держась за сердце, грузный Павел Петрович, и лицо у него было цвета вымпела за трудовые заслуги, который украшал ковер на стене в спальне, где, зажавшись в углу, сидела Олечка. Рядом с му-

жем хлопотала с валокордином Тамара Сергеевна, а Вичка, в модном свитере, связанном матерью по схеме из «Работницы», и с абсолютно голыми длинными, стройными ногами, сверкая безупречной белизны трусами, пыталась отца поднять и приговаривала:

— Ну вот надо было тебе все это устраивать, а, пап?

Павел Петрович не отвечал на этот в общем-то риторический вопрос — не до того ему было.

Борьба с американскими джинсами стоила ему нескольких недель в палате интенсивной терапии. Еле выходили. Кстати, пока мужа не было дома, Тамара Сергеевна расшторила угол с иконами и постоянно молилась за своего мужа — идейного коммуниста. И потом была уверена, что не врачи с их таблетками и капельницами, а она, молитвами, «подняла Пашу на ноги».

Сейчас Олечкины и Вичкины родители глубокие старики. И теперь уже дочери договариваются «не рассказывать родителям». Но здесь ложь во имя спасения — Тамаре Сергеевне и Павлу Петровичу категорически противопоказано волноваться, так что от них скрывают цены на продукты, выходки внуков, болезни дочерей и зятьев.

Но, усвоив урок родителей, Олечка говорит, что никогда не станет скрывать что-то от мужа. И если он запрещает детям куда-то идти, что-то покупать и так далее — она его всегда поддерживает. Даже если считает, что он не прав.
«Я лучше ему потом наедине все выскажу», — говорит Олечка, и она права.

Но иногда так бывает, что коалиции в семье возникают, потому что кто-то кому-то ближе. Конечно, это не здо́рово. Но ситуация, когда «мама, папа, я – дружная семья», в жизни бывает нечасто. Вот и Настя, чью историю я хочу рассказать, была папиной дочкой, а отношения с матерью складывались у нее не так чтобы хорошо.

— Моя мама всегда хотела, чтобы у нас все было «не хуже, чем у людей», — рассказывает Настя. — Еще в советские времена она готова была отстаивать дикие очереди за коврами и хрусталем.

Вечно рано утром ездила куда-то отмечаться, отпрашивалась с работы, чтобы успеть на перекличку в очередь, и поедом ела отца за то, что тот не принимает в этом участия. Отец, человек мягкий, ей не перечил. Снисходительно посмеивался, когда она притаскивала очередной ковер или «Мадонну» (этот немецкий сервиз в советские годы считался символом достатка, если кто не в курсе). Причем из «Мадонны» никто никогда не ел, ковер никогда не расстилался. Матери было важно знать, что у нее это есть. Точно так же символом благополучия для нее были успехи — мои и отца. Сама она преподавала музыку, работу свою рассматривала как синекуру — появлялась там не чаще, чем пару раз в неделю, пила чай или кофе с коллегами, сетовала на бестолковых учеников, растущие цены, невозможность достать одежду или косметику. Так и вижу картину: маман в высокой меховой шапке а-ля Барбара Брыльска в «Иронии судьбы» (у советских женщин была странная манера не снимать в помещении шапки. Потом,

Ситуация, когда «мама, папа, я – дружная семья», в жизни бывает нечасто.

когда я выросла, то догадалась: средств для укладки не было, поэтому тетки стеснялись показать примятые волосы), в модном джинсовом платье, под ним — синтетическая водолазка (все — доказательства высокого достатка и умения жить), в сапогах на «манке» (писк, самый писк моды) пьет кофе и жалуется, жалуется, жалуется. В том числе на меня и на отца.

На отца — потому что он не хочет защищать кандидатскую, а без защиты ему никогда не стать начальником лаборатории. «Так и проходит всю жизнь инженеришкой, — сетовала она. — Ни денег, ни уважения. Все мои подруги и при машинах, и при дачах, и в загранку уже не по разу смотались. А мой все сидит, над патентами своими трясется».

У отца действительно было очень много патентов на изобретения — он был не «инженеришкой», а талантливым инженером и очень любил свою работу, действительно в ней разбирался. Кандидатскую он защищать и правда не хотел, считал это пустой тратой времени. Деньги его интересовали мало. Путешествовать за границу в те времена было невозможно, а чтобы съездить на Байкал, на Алтай и в Прибалтику, у нас

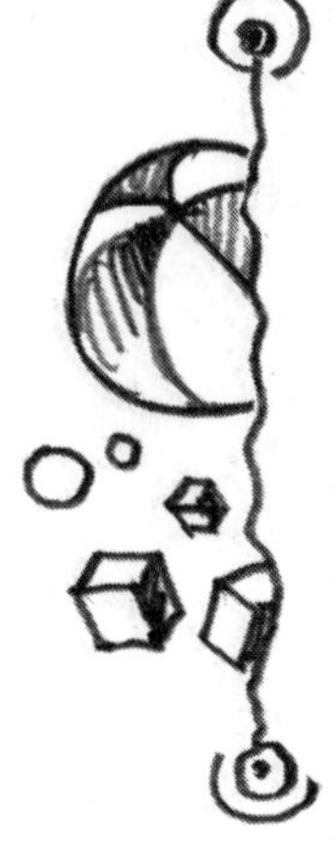

деньги были всегда. Мать с нами никогда не ездила — предпочитала санатории. Только на Рижское взморье мы поехали втроем. И то — мы с папой снимали комнатушку в уютном деревянном доме, где в палисадничке рос розовый куст — до сих пор стоит у меня перед глазами, — а мать с нами жить не захотела: «не те условия». Выбила себе путевку в Дом творчества писателей в Дубулты. Звала и меня, но я отказалась — с отцом мне всегда было интереснее, чем с ней, а тем более с кумушками, которые всегда ее окружали. Отец интересно рассказывал, мне казалось, он знал всё обо всем. Но интереснее всего он пересказывал прочитанные книги. Мы шли с ним пешком по кромке Рижского залива, и он пересказывал мне любимых Стругацких. Я могла так идти часами. Мы часами и гуляли — от Дубулты до Пумпури и дальше — до самого Кемери, а потом обратно. А иногда — просто молчали. Он думал о своем, я — о своем, но мне было так здорово идти рядом, и его теплая большая рука с мозолями у основания пальцев была такой надежной, такой крепкой, мужской. Никогда больше, ни с одним мужчиной, мне не было так спокойно и уютно.

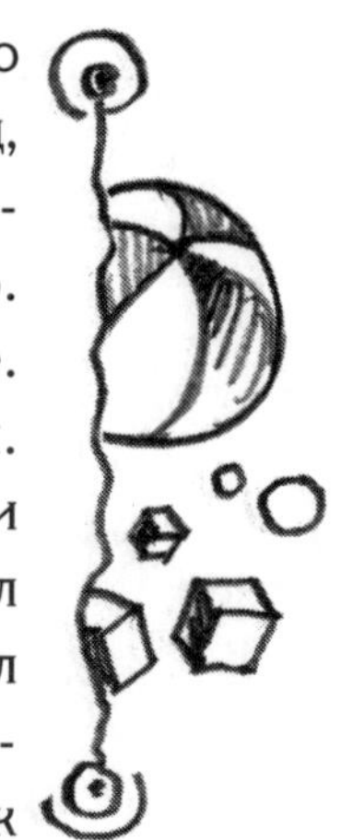

А как божественно он готовил! В его репертуаре было совсем немного блюд, но каких! Утром на небольшом юрмальском рынке он покупал парное мясо. А потом начиналось священнодействие. Нож натачивался до остроты бритвы. Мясо в его красивых руках с длинными пальцами так и мелькало. Он смазывал каждую отбивную маслом и оставлял мясо «отдыхать» в миске. Пока мясо «отдыхало», он виртуозно, ровными, одна к одной круглыми дольками резал огромные красные помидоры «бычье сердце», фиолетовый лук. Перемешивал это, сдабривал маслом, щедро солил и перчил. Потом жарил мясо на почти сухой, практически без масла, сковороде. Ничего вкуснее я не ела в жизни! А кофе! Такой кофе, как папа, я не сварю никогда, да и никто не сварит. Он словно чувствовал момент, когда пенка начинала подниматься шапкой. Кофе получался в меру крепкий, с пышной шапкой пены.

Он любил принести с рынка цветы — мне и маме. Он вообще любил делать подарки без повода. Мать бы, наверное, предпочла розы и брюлики простым рыночным букетикам и серебряным кольцам, которые папа заказывал для нее у

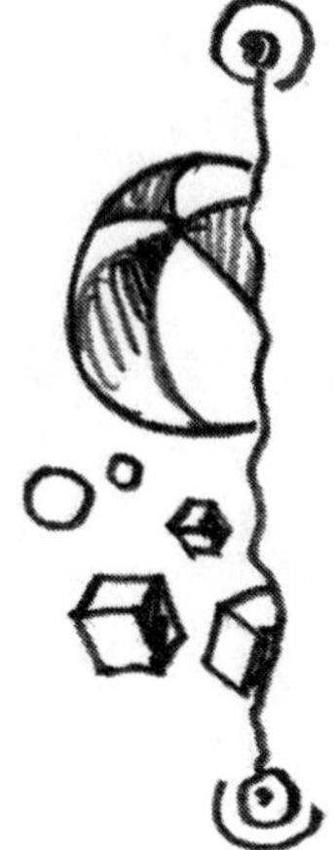

знакомого ювелира. Но я всегда была в восторге от того, что он мне дарил.
Как мать могла не ценить такого мужчину — для меня загадка. Через несколько лет после папиной смерти она выскочила замуж за отставного полковника Юрия Ивановича. Я к нему отношусь совсем неплохо, он добрый, не вредный, маман боготворит. Но куда ему до отца!
Меня мать тоже все время сравнивала с другими. В детстве это было вроде как безобидно. Ну кто не слышал от родителей: «Никто не плачет, одна ты». Или: «Смотри, какие все девочки аккуратные, одна ты как свинка». Ну и так далее. Правда, и тогда меня это доводило до слез. Иногда было обидно, иногда я злилась и могла нагрубить. В ответ на очередное: «Смотри, какие у Леночки (Катеньки, Дашеньки) аккуратные рисунки» могла выкрикнуть: «Ну и иди к своей Леночке!» Я плакала, мать обижалась, жаловалась на меня отцу. Однажды у нас с ним был на эту тему разговор. Очень хорошо его помню. Мне было лет семь, я была в первом классе.
Был праздник букваря, всем раздали листочки со словами — тогда это называлось странным словом «монтаж». Мне досталось четверостишие, которое я

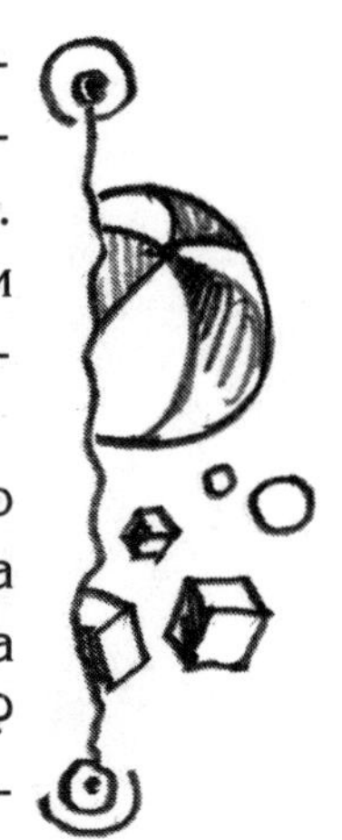

честно выучила и, как мне казалось, неплохо рассказала. А вот у моей подружки Светки слов было гораздо больше. Маман на празднике сидела в первом ряду, и вид у нее был крайне недовольный.

Вечером дома она устроила мне целую сцену. «Надо быть активнее, — кричала она. — Вон Светка, ни кожи ни рожи, а сколько раз на сцену выходила! А ты? Два слова — и все? Надо было просить у учительницы, требовать! Так и проживешь всю жизнь, так и будешь, как твой папаша, в тени». Я искренне не понимала, в чем моя вина. Да и как такое понять семилетнему ребенку? Что родительские амбиции Светкиной мамы вполне удовлетворены, а моя осталась на бобах? Что она сравнивает меня с моей подругой, и сравнение это явно не в мою пользу? Что она мне, маленькой девочке, по сути жалуется на моего отца? В общем, я была растеряна, напугана и в конце концов заревела. Тут пришел с работы отец. Я уткнулась в его старый финский коричневый плащ, который он носил до первых заморозков, ни за что не желая с ним расстаться и «купить что-то поприличней». Мне кажется, запах этого плаща — свежесть

осеннего вечера и запах «Явы» — я помню до сих пор. Отец долго не мог понять, в чем дело (ну абсурдная же ситуация, правда?), потом отправил меня в мою комнату: «Иди, Настена, я сейчас руки помою и приду к тебе». Он действительно пришел очень быстро, сел со мной в кресло (было у меня такое — широкое и уютное, мы с отцом в нем умещались вдвоем), обнял и очень серьезно, как-то по-взрослому сказал:

— Ты на маму не обижайся. И не плачь. Мы же с тобой знаем, что ты — самая умная и самая красивая.

Это у нас с детства была такая игра: когда он будил меня по утрам, то спрашивал: «Кто самая красивая девочка?» «А кто самая умная девочка?» «А кто самая сообразительная девочка?» И я с готовностью отвечала «Я» на все эти «ритуальные вопросы». Но в тот вечер я не успокаивалась.

— А что она меня со Светкой сравнивает? Как будто она ей дочь, а не я! — И слезы полились с новой силой, так мне стало жалко себя, бедную сиротку, которую родная мать не любит и всячески притесняет.

— Не обижайся на маму, — повторил отец. — Она не со зла. И она тебя любит. Просто у нее.... Ну как бы тебе объяснить.... Ты понимаешь, ей хочется, чтобы у нас все было лучше всех. А мы с тобой, — тут он усмехнулся, — ну совсем не оправдываем ее ожиданий. Я, если честно, тогда ничего толком не поняла, но почувствовала — отец меня любит, я для него самый хороший ребенок, другого ему и не надо. Он не хочет получить «улучшенную версию». А вот мать — та, может, и любит, и добра хочет, но она мной совсем недовольна.

Не знаю, разговаривал ли с ней отец. Может, и да, потому что она надолго от меня отстала. А потом все началось с новой силой.

В подростковом возрасте я стала вдруг полнеть. Причем как-то очень заметно. Буквально росла вширь, как на дрожжах. Мать испугалась, потащила меня к эндокринологу. Тот объяснил, что так бывает в переходном возрасте, на фоне гормонального дисбаланса. Скорее всего, годам к шестнадцати все пройдет. Надо только не переедать, заниматься спортом, а главное — набраться терпения. А вот терпение никогда не было сильной стороной моей матушки. Теперь обед, завтрак и ужин для меня превращались в пытку. Она отслеживала каж-

дый кусок хлеба, каждую котлету, которую я намеревалась съесть. Особенно это было ужасно в гостях, где она вела себя, как бдительная жена запойного алкоголика: увидев, что я тянусь за куском пирога или ложкой салата, громко, так, что все слышали, шипела:
«Тебе хватит!»
И все смотрели на меня с каким-то брезгливым сожалением: вот, мол, бедная толстушка! Уже и в дверь не влезает, а все ест и ест, остановиться не может!
Почти каждое утро, когда я надевала форму и собиралась идти в школу, она вздыхала и говорила: «Настя, следи за собой! Ты посмотри, какие все девочки в классе — стройные, худые как тростиночки! Позавидуешь! А ты? У тебя же взрослый размер! Скоро и форму не купишь, шить придется! И замуж тебя никто не возьмет!»
Так что в лифт по утрам я входила в слезах, преисполненная чувством собственной неполноценности и придавленная грузом ненависти к себе — презренной отвратительной толстухе.
Я страшно страдала. Перестала гулять с подругами — мне казалось, что я, самая большая и крупная среди них, похожа на их маму или тетушку. На их фоне я

совсем не имела успеха у мальчиков. Да что там на их фоне — я вовсе не имела успеха. Конечно, меня не донимали дразнилками, как в начальной школе, но я для них была чем-то вроде предмета мебели. Так вышло, что единственной моей подружкой стал отец. В этот невеселый период моей жизни мы необычайно сблизились. Я ждала, когда он придет с работы, чтобы все-все ему рассказать — и что произошло в школе, и что я видела, и что прочитала.

Папа рассказывал мне истории из своей жизни, мы очень много смеялись. Мать в этих посиделках не участвовала — от нашего шума у нее болела голова, да и вообще — «дел было невпроворот, некогда ерундой заниматься».

Однажды отец задержался дома и стал свидетелем «утренней политинформации». Он буквально изменился, лицо у него побелело. Он бросил мне: «Иди, я догоню» — и резко развернулся к матери. Я считала, что подслушивать ниже моего достоинства, но первые слова я слышала: «Не сметь! Не сметь унижать мою дочь!» Я первый раз слышала, как отец повысил на мать голос.

И это подействовало — она перестала меня донимать своими разговорами

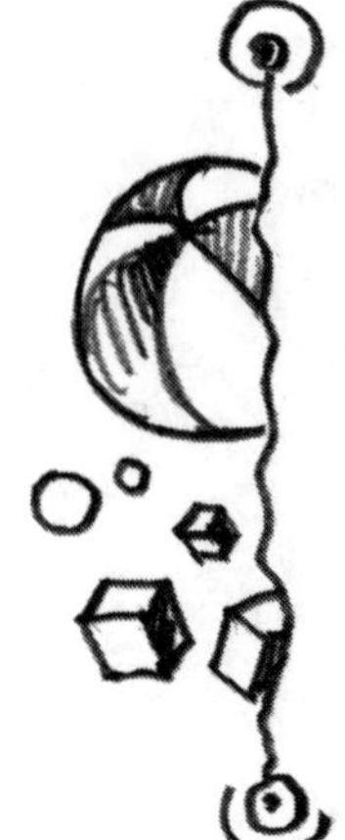

о том, какая я неполноценная и какое страшное будущее меня ждет.

Я думаю, если бы не отец, я бы выросла закомплексованной теткой. А так — я всегда знала, что есть мужчина, который меня любит — просто за то, что я есть.

Не то, чтобы я совсем не благодарна матери. Благодарна, конечно! Она научила меня со вкусом одеваться и стильно краситься. Готовить тоже она меня научила, за что ей были благодарны все мои мужья, а их ни много ни мало четверо — последовательно, конечно. Нынешний, четвертый, правда, ворчит, что, если бы я хуже готовила, он был бы стройнее ☺. Кстати, все мои мужья считали и считают меня красавицей, хотя я далека от общепризнанных стандартов. Но отец когда-то убедил меня, что это так, а женщина, которая уверена, что красавица, и ведет себя соответственно. И убеждает в этом всех окружающих.

СОВЕТ ДЕВЯТЫЙ

После развода постарайся сохранить детям отца

Тема жизни после развода неисчерпаема. На встречах с читателями ко мне постоянно приходят женщины, которые развелись, от которых ушли мужья, и рассказывают свои невеселые истории, просят совета или просто сочувствия.

Я всегда говорю, что время вылечит все без остатка, а новые отношения выбьют этот клин без следа, и это хорошая новость. Но есть и не такая хорошая – мужчина и женщина могут развестись и постараться друг о друге забыть. Отец и мать забыть друг о друге не могут, по крайней мере пока их общие дети не станут самостоятельными и не перестанут нуждаться в их участии.

Забыть о бывшем не получится, пока ваши общие дети не станут самостоятельными!

Развод родителей – всегда удар для ребенка. Вроде вчера было все хорошо, все были вместе, ездили в гости и в отпуск, папа был рядом. А сегодня он уже живет в другом месте, в бывший свой дом приходит как в гости, причем гость он не всегда желанный. Если дети постарше и уже разбираются в жизни, то понимают, что у папы, а потом и у мамы появятся новые супруги, а значит, возможно, и новые дети. Ну как тут не грустить!

Вот здесь самое время пустить в ход дипломатические способности. Люди расстаются на разном градусе ненависти, ну или, скажем мягче, взаимной неприязни. Одним просто сесть за стол переговоров, другие мечут искры при одном только взгляде друг на друга. Если твоя история – вторая, старайся свести общение с супругом к минимуму.

Перво-наперво хочу предостеречь от очень распространенной ошибки: не используй ребенка, чтобы манипулировать бывшим. А это значит: не запрещай им встречаться; не говори при ребенке плохо о его отце, даже если тебе хочется вылить на его голову весь ушат брани, на какую ты только способна; не препятствуй общению ребенка с родственниками со стороны отца, если, конечно, он сам этого хочет.

Меня когда-то поразила история, рассказанная в книге одного очень известного режиссера (не хочу называть имен). Он развелся с женой, ушел к другой женщине, и поселились они в доме напротив того, где жила первая семья. У бывшей жены хватало мужества и терпимости вечером говорить сыну: смотри, загорелось окно, папа вернулся с работы. И сын дружил с новой семьей отца, и бывшая жена мило здоровалась с той, что отбила у нее мужа.

Использовать ребенка, чтобы манипулировать бывшим мужем, – последнее дело!

Понимаю, такие высокие отношения не всем доступны, но прежде чем начинать войну с бывшим, подумай: жертвами неминуемо станут ваши дети.

Юрий и Маргарита развелись, когда их сыновьям, Вадику и Игорьку, было десять и восемь. Самый трудный возраст. Хотя лично я не припомню какой-нибудь возраст, который можно было бы назвать легким и беспроблемным.

Развелись по вполне банальной причине — Юрий ушел от Марго, с которой, по его словам, больше не мог жить, к Даше, с которой жить как раз мог, хотел и рассчитывал, что эта жизнь будет долгой и счастливой. Справедливости ради надо сказать, что Марго действительно была дамой не так чтобы очень душевной и умной. Мелочная, завистливая, она обожала сплетничать и злословить. С утра до ночи пилила мужа — и денег-то он заработать не может, и карьеру сделать не в состоянии, и как же ей, умнице и красавице, с таким жить! Она обожала вспоминать, как отказала в свое время завидному жениху — сыну дипломатов — ради Юрия, вероятно, считая, что тот должен это помнить и ценить. Работать Марго не желала, хотя в свое время окончила иняз, весьма прилично училась и могла бы сделать какую-никакую карьеру. Но мама с детства внушала ей, что женщине работать ни к чему. На это есть муж, который обязан обеспечивать «на достойном уровне» жизнь тому сокровищу, которое ему досталось. В том, что она сокровище, ни сама Марго, ни ее мамаша не сомневались ни секунды.

Уж не знаю, куда смотрел Юрий, когда брал на себя все эти обязательства, но он честно пытался аж лет двенадцать соответствовать высоким стандартам, а потом, видимо, сломался, сошел, так сказать, с дистанции.

Он ушел жить к Даше, прихватив только зубную щетку, — затевать сыр-бор с разделом имущества он не стал не только и не столько из благородства, сколько потому, что не хотел обострять отношений с бывшей женой. Зная склочный и мстительный характер Марго, Юрий предчувствовал, что так легко развод не пройдет, и больше всего боялся, что бывшая запретит ему общаться с сыновьями.

Мальчишек Юрий любил, много с ними занимался. У них была общая страсть — они клеили модельки самолетов, причем подходили к делу очень серьезно. В вы-

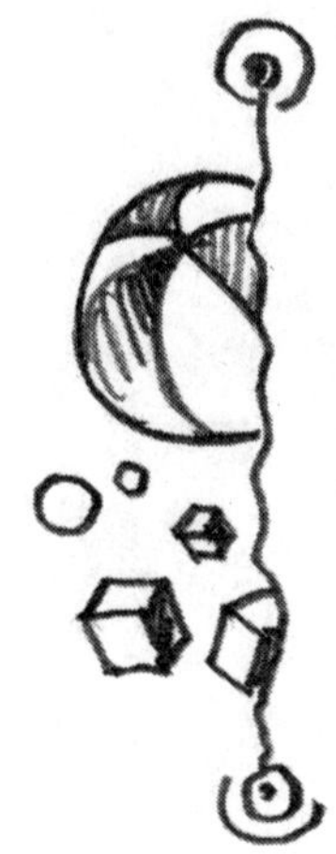

ходные ехали в магазин, долго и со вкусом выбирали, спорили, какую купить, наконец приходили к общему мнению, возвращались домой, предвкушая упоительные часы. Марго, кстати, это увлечение мужа и сыновей раздражало: клей и краски «мерзко пахли», она требовала «прекратить этот кошмар, потому что у нее слабые легкие», склеенные модели, по ее мнению, собирали пыль и занимали очень много места. На самом деле она, скорее всего, завидовала мужу — с ней дети никогда так не веселились, не были такими оживленными и расслабленными. Может быть, потому, что она вечно их поучала, в чем-то упрекала, что-то требовала. До развода, когда Юрий еще не стал «приходящим отцом», она вечно рассказывала подругам и матери, что ей приходится играть роль «злого полицейского», что Юрий детям во всем потакает, а ей, бедной, выпадает обязанность «следить за уроками и поведением».

Однажды Юрий, в очередной раз услышав, как она жалуется своей матери по телефону (обычно Марго делала это демонстративно громко, чтобы муж слышал и испытывал чувство вины), буквально ворвался в комнату и, закрыв дверь, чтобы не слышали дети, прошипел:

— А ты не следи! Не следи, понимаешь! Оставь их в покое, перестань тюкать! Они нормальные дети! Нор-маль-ны-е! Хватит из них делать «мальчиков из приличной семьи»!

— А ты что, хочешь, чтобы они росли как трава? Во дворе? Как ты? Это у твоей матери на тебя времени никогда не было! Работала она, видите ли! Пятилетку в три года выполняла! Поэтому ты и стал таким... таким... — Она пыталась подыскать слово и не могла.

— Я человеком стал. Если тебя что-то не устраивает — твои проблемы! И мать мою оставь в покое! — Юрий понял, что разговора о детях не выйдет, что сейчас начнется ссора — тягостная и отвратительная. Будучи человеком неконфликтным, он разговор свернул — просто вышел из комнаты и в который раз с тоской осознал, что развод, видимо, неминуем. Надо решаться. Они никогда не будут друг друга уважать, никогда не смогут договориться. Так зачем же продолжать это мучение?

Конечно, если семья распадается, виноваты оба. И я нисколько не пытаюсь

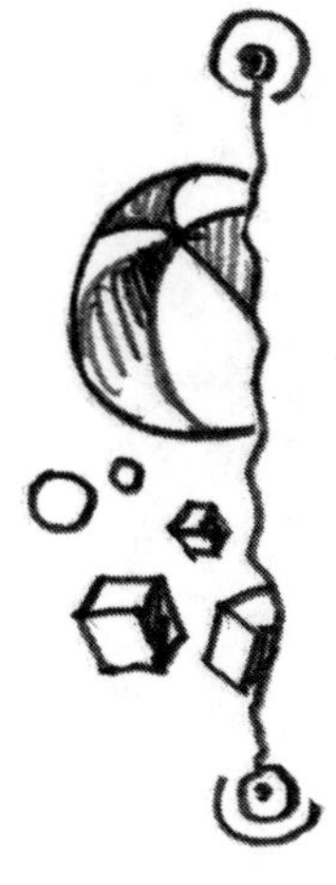

очернить Марго и оправдать Юрия. Да вообще речь о другом. О детях.

Дети с уходом отца затосковали всерьез. Особенно старший. Вадик был к Юрию очень привязан, подражал ему во всем. Он просто сходил с ума от того, что отец больше с ними не живет. А уж когда мать в порыве очередного приступа бешенства рассказала, что у Даши есть ребенок, приблизительно его ровесник, и что теперь папа будет играть, гулять, ходить в кино и клеить модельки с ним, а не с собственными детьми, вообще впал в депрессию — глаза все время были на мокром месте, он стал вялым, безразличным ко всему. Марго пробовала его растормошить, даже купила модель самолетика, но добилась обратного эффекта. Вадик выбросил коробку с моделью в мусор и зло зарыдал. К нему присоединился Игорек. Марго, которая и так была на взводе, сначала пыталась как-то успокоить детей, потом стала на них кричать, требовать чтобы они «немедленно прекратили этот кошмар», иначе «она за себя не отвечает», а потом и сама разрыдалась, сквозь слезы выкрикивая проклятия в адрес бывшего мужа, награждая его эпитетами, совсем неподходящими для детских ушей.

Она не могла справиться с эмоциями, а эмоций был целый клубок. Во-первых, уязвленное женское самолюбие: ей предпочли другую женщину; во-вторых, она боялась, что материально станет жить труднее. И хотя Юрий исправно приносил деньги, Марго всем рассказывала, что он оставил ее с детьми «буквально без копейки». Мысль о том, что можно пойти поработать, ее ужасала: что, вот так — утром рано проснуться и бежать сломя голову «пахать на чужого дядю»? Ну уж нет!

И она стала шантажировать бывшего мужа. Не звала к телефону детей, когда он звонил, не открывала дверь, когда он приезжал, требуя денег. Несколько раз якобы случайно путала день, когда Юрий должен был приехать, и дети стояли у двери в ожидании отца, который и не подозревал о том, что происходит. Зато у Марго появлялся повод злобно сказать: «Забыл о вас ваш папочка». Со стороны это выглядело чудовищно: по сути, она продавала собственных сыновей. Но Марго смотрела на ситуацию иначе: она была уверена, что действует «во благо детей», что их отец «чудовище»

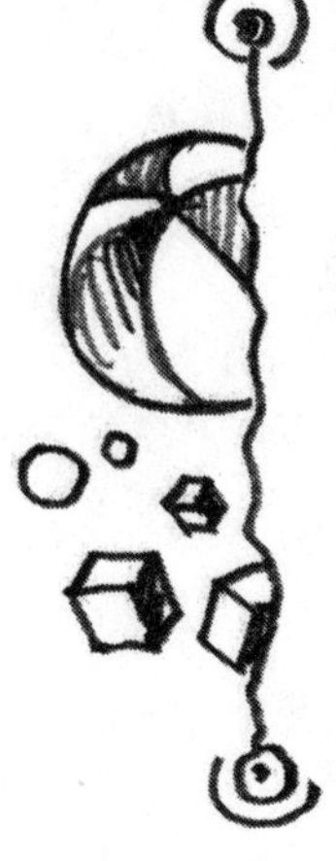

и «должен понести наказание». Она не понимала, что, настраивая детей против их отца, расшатывает их психику. Заставляет их думать, что они не нужны Юрию, лишает их чувства защищенности.

Юрий действительно страдал: ну не судиться же с бывшей женой! Он пробовал договориться с ней по-хорошему, но это было невозможно — к телефону она не подходила, если же удавалось дозвониться с чужих мобильных, то говорила гадости, рыдала и швыряла трубку. Юрий пробовал разговаривать с тещей — та вела себя поспокойнее: слезами не заливалась, но тоже говорила гадости и обсуждать проблему не желала, разговора не получалось.

Мать Юрия очень скучала по внукам, звонила бывшей невестке, предлагала забирать Вадика и Игорька из школы, помогать с уроками, но Марго и слышать ее не желала — просто швыряла трубку.

И Юрий обратился в суд. Теперь у Марго не было другого выхода, кроме как исполнять предписание мирового судьи: не препятствовать общению детей с отцом определенное количество часов в месяц. Но общение это, особенно на первых порах, было донельзя тягостным. Вадим и Игорь выходили к отцу с таким видом, будто их в кандалах отправляют по этапу в острог. Никакого смеха, никаких шуток и душевных разговоров. Еще бы — мать изо дня в день внушала им, что отец их бросил, больше не любит, что он теперь все время проводит с чужой женщиной и ее ребенком, а о них скоро забудет. А что так добивается встреч с ними — так это чтобы насолить ей, бывшей жене. Мать ее не отставала, тоже не упуская случая внушить внукам, какой мерзавец и подлец их отец. В общем, «информационная война» велась по полной программе, и цель этой войны была достигнута.

Юрий страдал — он понимал, что теряет детей и сделать ничего не может. При этом он понимал, что может потерять жену, — Даша человек терпеливый, но любому терпению есть предел. Он в последнее время ходит мрачный, ни о чем толком думать не может, все из рук валится. О том, чтобы проводить выходные вместе — с Дашей, ее сыном и собственными сыновьями, и речи быть не может: Вадик и Игорек окончательно замкнутся, станет еще хуже.

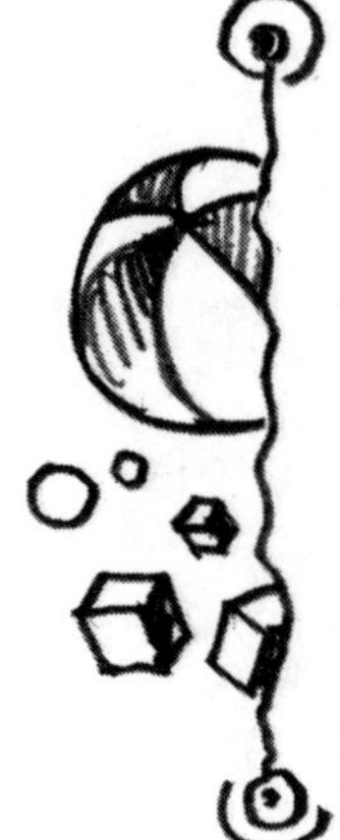

О том, что чувствуют в этой ситуации сами Вадик и Игорек, никто не думал — ни окончательно потерявшая ощущение границ, буквально сходящая с ума от ревности и чувства уязвленного достоинства мать, ни отец, который метался между сыновьями и новой семьей и в буквальном смысле не понимал, как исправить ситуацию.

Дети стали разменной монетой, и та, и другая стороны забыли, что мальчики не трофеи в войне, а живые люди. У Игорька начался тик, Вадик перестал учиться, стал дерзить учителям. Марго то и дело вызывали в школу, она от беспомощности принималась орать на сына. Тот никак не реагировал, чем еще больше заводил мать, которая стала хвататься за ремень или полотенце.

И ни отцу, ни матери — людям, живущим в XXI веке, считающим себя образованными и цивилизованными, — не пришло в голову обратиться к детскому психологу. Эта мысль пришла Юриной матери. Когда она сказала сыну, что мальчиков надо отвести к специалисту, тот отмахнулся — дескать, отстань со своими глупостями. Видишь, не до того сейчас.

— Мама, ну какой психолог! Я сам себе психолог! Денег сейчас в обрез. Алименты все сжирают, мы с Дашей даже в свадебное путешествие толком не съездили. Надо ремонт делать. Не могу я сейчас себе это позволить.

Но мать не отставала. Была она женщиной мудрой, умела спокойно и целенаправленно добиваться своего.

— Сынок, — втолковывала она Юрию, — если у тебя болит зуб, ты ведь не сам его лечишь? Не привязываешь к двери ниточкой, чтобы вырвать? А идешь к врачу. И не думаешь, сколько это стоит, не пытаешься сэкономить. Твои дети сейчас больны. Им нужен специалист. Вы с Маргаритой только делаете им хуже. Важно, чтобы с ними поговорили.

— А я что делаю? — взрывался Юрий. — С утра до ночи разговариваю с ними. Только Марго тоже разговаривает. И теща, чтоб ей...

И только когда к уговорам подключилась Дарья, которой больше всего хотелось, чтобы этот ад в их с Юрием жизни закончился, он сдался. Первый сеанс провели тайком от Марго, потом психолог вызвал ее саму и смог убедить в том, что мальчикам необходима помощь.

Психолог работал с детьми долго, параллельно — с родителями. И результат появился — открытые военные действия

между бывшими супругами сменились холодной войной, в которую дети почти не вовлекаются. Игорь и Вадим общаются с отцом и недавно съездили с ним в отпуск.

Марго, слава богу, «устроила личную жизнь». И кстати, с новым мужем она ведет себя совсем не так, как с Юрием. Она стала кроткой, веселой, всегда готова на компромисс. Ну, этот феномен известен всем еще по замечательному советскому фильму «Экипаж»: помните, героиня, стерва, которая замучила мужа и сына попреками, со вторым мужем стала домашней кошечкой, идеальной женой.

Будем надеяться, что Вадим и Игорь оправятся от той травмы, которую нанесли им любящие мама и папа.

А как быть, если бывший муж пытается «подкупить ребенка, настраивает его против матери? Таких историй – бездна. Ведь в нашей стране женщина всегда материально больше уязвима, чем мужчина. Часто бывает так: пока женщина обеспечивает тылы, рожает детей, мужчина делает карьеру. Как только он становится «богат и знаменит», немедленно появляются хищницы, которые полны решимости увести это сокровище с его толстым кошельком из семьи. Очень часто им это удается. Всем известно, что всегда найдутся и ноги стройнее, и глаза голубее. А уж эти разговоры о том, что с молодой женой у мужчины появляется шанс прожить вторую молодость!

А что делать жене, которая за бесконечные годы декрета потеряла специальность и уже никогда не найдет такую работу, чтобы поддерживать жизнь, свою и детей, на должном уровне? Ничего не говорю, есть и порядочные мужчины, которые исправно выплачивают алименты, помогают оставленной семье материально, разумно участвуют в воспитании детей. Но есть и другие.

Дина подошла ко мне на одной из встреч. Мы разговорились, и она рассказала мне свою историю.

Они с мужем познакомились на картошке — Алексей учился в МИФИ, подавал большие надежды. Дина, студентка пединститута, мечтала работать в школе.

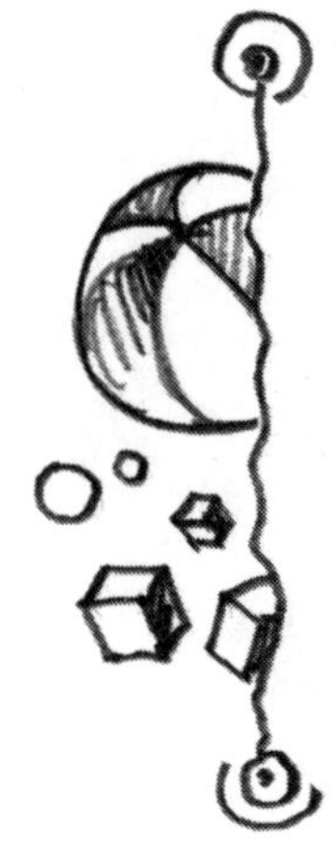

Поженились они после института, через год родился Алеша-младший, потом Танечка. Дина почти не работала — один декрет, потом другой. Когда Танечке исполнилось три годика, вроде пришла пора выходить на работу. Но Алексей ее убедил, что это неразумно: зарплата в школе копеечная, ученики пошли дерзкие, Дине с ее кротким характером с ними не справиться. И пока она будет за смешные деньги усмирять чужих детей, ее собственные станут хватать вирусы в детском саду, на них будут кричать воспитатели и обижать другие дети. В общем, картину Алексей нарисовал страшноватую, и Дина сдалась — сделалась домашней хозяйкой. Причем хозяйкой она была образцовой: в доме всегда чистота и уют, к приходу мужа на столе нарядная скатерть и вкусный обед, по выходным пироги и изысканные десерты. Дети к приходу отца собирали игрушки («Папу раздражает беспорядок»), по воскресеньям Дина вставала чуть свет, чтобы приготовить завтрак и отвести детей в парк, чтобы не шумели и не будили отца — Алексей спал полдня, до обеда, отсыпался за всю неделю. Он никогда не слышал от жены жалоб — вначале она прекрасно вела дом на его скромную зарплату, потом со вкусом обставила огромную квартиру, которую они купили, когда Алексей стал зарабатывать. Она с одинаковой радостью отдыхала с мужем и детьми на скромных турбазах, где приходилось жить в щелястых деревянных домишках с удобствами на улице, и в шикарных пятизвездных апартаментах.

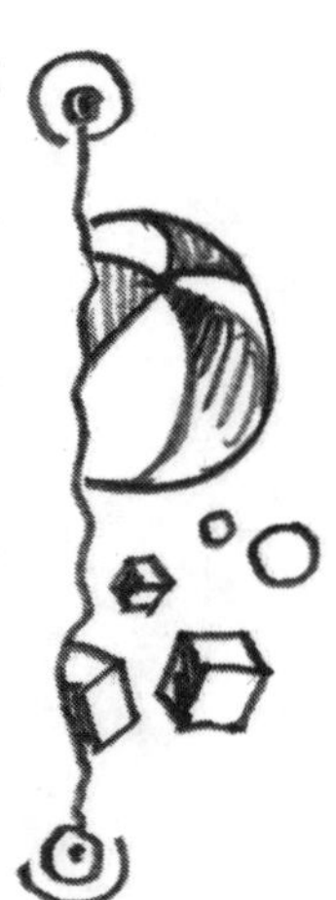

Алексею завидовали друзья: не жена — клад. Он и сам так думал до некоторых пор. Пока в офисе не появилась Галина — новый менеджер по персоналу. Она была старше Алексея и Дины, дама опытная и ушлая. Когда до Дины дошли слухи, что у ее мужа с ней роман, Дина не поверила: не мог Алексей ее предать. Да и на кого он ее променял? На женщину старше ее почти на восемь лет? Вздор, быть такого не может. Как выяснилось, очень даже может. Алексей ушел из семьи.

Когда Дина оправилась от шока, то прежде всего встал вопрос, как жить. Алеше пора было идти в школу. До ухода мужа из семьи они планировали отдать мальчика в частную школу, но будет ли Алексей за нее платить? И потом, школа неблизко, на общественном транспорте туда добираться очень неудобно. В се-

мье была только одна машина — «БМВ», на которой ездил, разумеется, Алексей. У Дины и прав-то не было. В свое время Алексей убедил ее, что у нее никогда не получится водить машину — реакция у нее никудышная, так что не стоит покупать второй автомобиль, все равно будет стоять без дела.

Она пыталась поговорить с бывшим мужем, обсудить все эти вопросы, но он холодно отвечал, что разговаривать именно сейчас не может, и отключался.

В сентябре Алеша пошел в школу около дома, Танечка — в ближайший детский сад, а Дина — в ту же школу, куда отдала сына. Чудом ее взяли без стажа и опыта учителем математики. Только потому, что школа была не укомплектована кадрами. Оказалось, что Дина — прекрасный учитель, с детьми и коллегами она отлично ладила. Ей очень нравилось работать, нравилось все — и входить в класс, и объяснять материал, и отвечать на вопросы любопытных детей. И чаепития в учительской были ей очень по душе — она почувствовала себя значимым человеком.

Но материально они жили очень стесненно. Зарплата учителя с Дининым стажем действительно скромная, это, пожалуй, единственное, в чем ее бывший муж оказался прав. Алексей давал деньги («подбрасывал», как он говорил) крайне нерегулярно и не так чтобы щедро. Когда Дина завела все-таки разговор о том, что детям многое нужно, что ее зарплаты едва хватает на скромную еду и оплату огромной квартиры, муж оживился и злобно произнес:

— Вот именно — квартиры! Я ведь не подал на раздел жилплощади! А мог бы! Все вам оставил! Так что ты бы умерила аппетиты-то!

Дина говорит, что она поразилась — и это ее Алексей! Мягкий, добрый, порядочный, как ей всегда казалось. Он никогда не был жадным — мог дать приятелю в долг и сказать: «Отдашь, когда сможешь». Когда Дининой бабушке понадобилась операция, он, ни слова не говоря, оплатил все расходы. Дине казалось, что Алексея зомбировали, околдовали. Это было так обидно, что она заплакала. Алексей, кинув детям: «Одевайтесь, жду вас в машине, пойдем в кино», — ушел, хлопнув дверью.

И она решилась — подала на алименты. Она совсем не удивилась, когда Алексей выдвинул встречный иск — об уменьшении суммы выплат. На том основа-

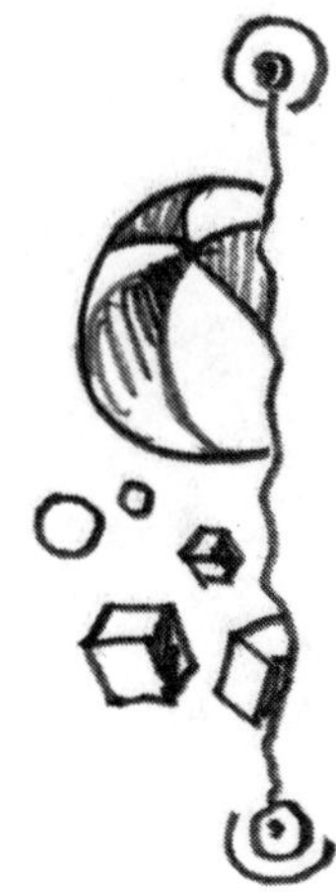

нии, что его новая жена ждала ребенка. Да и зарплата в справке, которую он представил в суд, была уменьшена вполовину, если не больше. Сделать это было несложно: Алексей давно занимал в компании руководящую должность, а своя рука, как известно, владыка.

— Что же ты делаешь, Алеша! Ты же собственных детей обделяешь! — Диана не могла совладать с эмоциями.

Алексей посмотрел на нее с такой ненавистью, что ей стало страшно.

— Если не можешь прокормить моих детей, не вопрос, я их у тебя заберу.

Теперь у Дины появился новый кошмар: она представляла, как Алексей выкрадывает Алешу и Танечку, как привозит их к себе, как знакомит с Галиной... Как дети забывают о ней, о Дине. У Дины начался самый настоящий психоз, она перестала спать, почти не ела, работа ее больше не радовала. Она как робот давала уроки и, прихватив сына, бежала в сад за Танечкой. Ее мучила тревога, что бывший муж заберет девочку и больше не отдаст.

Прошло много времени, прежде чем Дина расслабилась, нет — осторожно поверила, что Алексею их общие дети не очень нужны. Он приезжал приблизительно через выходные, гулял в парке, а чаще всего ходил в кино, но никогда не интересовался их проблемами, не проверял у Алексея уроки, не расспрашивал Танечку о ее жизни в садике.

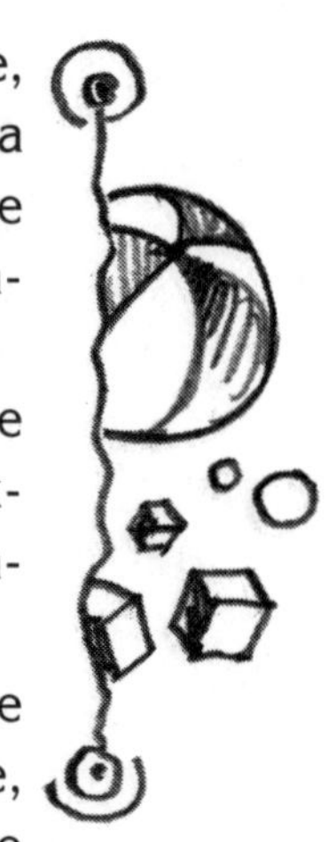

— Он и в кино-то ходил, чтобы меньше с ними разговаривать, — горько усмехнулась Дина, когда все это мне рассказывала.

Время шло, дети росли. Танечка тоже пошла в школу — все ту же, во дворе, ни о каких частных заведениях речь уже не шла. Жили они по-прежнему скромно, на летний отдых денег не было, на какие-то развлечения — тоже. Но Дина умела устраивать праздник из ничего — испечь пироги с картошкой, зимой пойти с ними играть в снежки, а летом — в вышибалы, пригласить друзей дочери и сына и устроить вечер веселых настольных игр.

Вроде все улеглось, она смирилась с уходом мужа. Иногда ей казалось, что прежняя жизнь, с Алексеем, была каким-то сном, наваждением. Максим появился в ее жизни случайно — она гуляла с детьми в парке, они бегали от качелей к качелям, а Дина присела на лавочку. К ней подсел мужчина примерно ее возраста — коренастый,

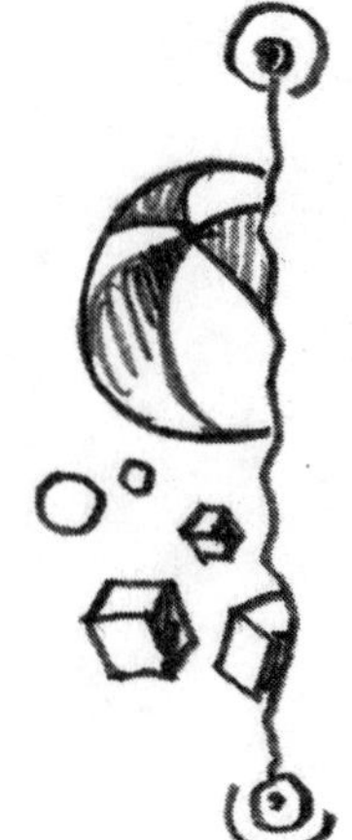

полноватый, в очках, очень приятный. Его дочь играла с Дiниными детьми. Максим сделал комплимент Алеше (как ловко мальчик карабкается по лестнице), потом Танечке (какая девочка симпатичная). Потом пожаловался, что у его дочери, Леночки, завтра контрольная по математике, а он, математик по образованию, не может объяснить ей, как решать задачи.

— Понимаете, я могу ее решить четырьмя способами, но ни один из них не проходят в третьем классе. А так примитивно, как они, — не могу, представляете?

Дина достала из сумки ручку и на старом проездном набросала алгоритм решения задачи. Максим был восхищен и заявил, что приглашает ее с детьми в кафе.

В ближайшей кафешке он заказал кофе и сок детям, гору пирожных. И пока веселая троица развлекалась с аниматором, выложил Дине всю свою историю — собственно, она была короткая и не сказать чтобы оригинальная.

Женился в институте, жена была первой красавицей курса. Чем он ей так приглянулся — сам до сих пор не знает. Жену Максим боготворил, носил на руках и в прямом, и в переносном смыслах.

А уж когда родилась Леночка — готов был луну с неба достать.
А когда Леночке было пять лет, красавица жена от него ушла. Оказалось, она давно ему изменяла. Теперь он уже три года один, дочь обожает, проводит с ней все выходные. Жена не возражает — она сейчас строит новую жизнь, ей не до ребенка, и Максим подумывает, не взять ли девочку у жены, но не знает, как об этом заговорить с женой.
Дина и Максим стали встречаться. Ей было с ним легко и интересно. Алексей о том, что у Дины «кто-то появился», узнал случайно — видимо, дети простодушно проболтались.
Он позвонил и орал в трубку так, что Дина не могла вставить и слова. Да собственно, что она могла сказать? Все его обвинения были абсурдными. Он осыпал бывшую жену бранью, самым литературным словом в том потоке было «шлюха». Он угрожал, что заберет у нее детей, а главное — перестанет давать деньги.
— Нехрен на мои деньги содержать своих мужиков, — кричал он.
Дина в который раз удивилась тому, как плохо она знала человека, с которым прожила почти восемь лет. И с удиви-

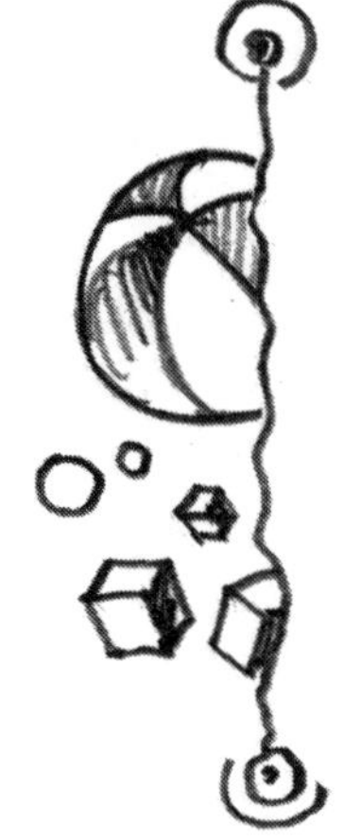

тельной ясностью поняла, что больше не жалеет о разводе. Она ошибалась в Алексее — он не тот человек, с которым она хотела бы прожить всю жизнь и вместе состариться.

Стараясь сохранять спокойствие, она ответила, что готова отчитываться ему за каждую алиментную копейку. А ее личная жизнь и морально-нравственный облик его не должны волновать.

— Ты пожалеешь, — сказал Алексей и слово сдержал.

Теперь он не скупился на дорогие подарки детям.

В выходные они ходили не на дневные сеансы в киношку, а в детские клубы, где Алешу и Танечку развлекали вышколенные аниматоры. Папа их, правда, по-прежнему с детьми не общался, пока с ними играли другие, «специально обученные», люди, он пил пиво и разговаривал по телефону.

После клуба они ехали в ресторан, где детям было позволено все, что не разрешала Дина: мороженое, фрукты, на которые у Алеши была аллергия, пирожные, в которых Танечку ограничивали не только из-за того, что на них не было денег, но и потому, что девочка была склонна к полноте.

Мало-помалу в рассказах детей стали проскальзывать совсем неприятные нотки: «Ты не сможешь это купить, мы попросим папу», «С папой интереснее», «Папа обещал свозить нас летом в Грецию, показать лабиринт Минотавра». Дина понимала, что Алексей ей мстит. Он уязвлен, что она смогла жить без него, и жить неплохо: нашла работу, встретила Максима. В ногах у него не валяется, вернуться не умоляет. В общем, он оказался из тех, кому мало, чтобы было хорошо, надо, чтобы при этом другим было плохо. К тому же до Дины доходили слухи — общие друзья пытались рассказать, хотя она их останавливала, — что не так уж все гладко у Алексея с Галиной. Ребенком она почти не занимается, из-за этого у них с Алексеем постоянные скандалы, запросы ее растут, вроде стала погуливать — ищет более выгодную партию, не иначе.

— Что мне делать? — Дина задавала этот вопрос, а в глазах у нее стояли слезы. — Ведь я ни одного плохого слова про Алексея детям не сказала. Хотела сохранить хорошую мину при плохой игре. А он отнимает у меня детей. Я же чувствую, как он настраивает их против меня.

Я никогда не смогу обеспечить им такую жизнь, как он. Мне с ним не тягаться. Он покупает их любовь, мне нечем крыть.

Что посоветовать? Во-первых, думаю, что время обязательно все расставит по местам. Количество непременно перейдет в качество, Динина любовь, все то тепло, которое она дала детям, обязательно к ней вернется. Ведь купить можно только тех, кто продается. Не могут дети, воспитанные такой женщиной, вырасти алчными и корыстными. Они станут старше и поймут все – и об отце, и о матери.

А еще можно не ждать, пока судьба сама накажет Дининого бывшего мужа, и немного ускорить события. Так сказать, помочь мирозданию. Я бы не пожалела денег на хорошего адвоката и оспорила в суде иск об уменьшении суммы алиментов, и потребовала бы проверки доходов Алексея. Думаю, вы, как и я, неоднократно читали, что такое возможно. Уверена, на него можно найти управу.

СОВЕТ ДЕСЯТЫЙ

Не делай из ребенка ботаника

Редко в какой семье не возникает конфликтов из-за учебы. Особенно усердствуют те мамы, которые сами были отличницами. Они давно, еще в предродовой палате, намечтали себе ребенка-отличника, которым можно хвастаться подругам. И когда их самый обычный, веселый, жизнерадостный ребенок приносит из школы самые обычные тройки, иногда хватает двойки, у этих быв-

Прекрати бороться за успеваемость.

ших отличниц происходит разрыв шаблона. Они начинают принимать меры – бороться за успеваемость.

Как? Ну если вы задаете этот вопрос, значит, сами в такой борьбе не участвуете, с чем искренне вас поздравляю. Борьба за успеваемость идет по всем законам военного времени. «Если ты не исправишь оценки, я запрещу (смотреть телевизор, играть на компьютере, играть с друзьями – нужное подчеркнуть)». Иногда родители вступают с двоечником в переговоры: «Если ты закончишь четверть без троек, куплю..., разрешу..., возьму тебя с собой и т.д.

Повторю то, что уже говорила выше – школу ваш ребенок окончит, а неприятные воспоминания, как его терроризировала родная мать из-за каких-то там оценок, – останутся.

Нет, я, конечно, не призываю поощрять лень и ничегонеделание. Я лишь хочу, чтобы ты поняла: ребенок не может одинаково хорошо знать все и проявлять одинаковый интерес ко всем школьным предметам. Есть, конечно, такие ботаники, которым лишь бы получить хорошую, а лучше отличную оценку. Но такие, скорее всего, мало чего добьются в жизни. И это не мое частное мнение – об этом говорят психологи и биологи. И если у твоего чада двойка по математике, но при этом он может часами с удовольствием и увлечением рассказывать о жизни доисторического мальчика, вслепую чертит схему построения рыцарей во время Ледового побоища, может в мельчайших подробностях рассказать о поединке Пересвета с Челубеем – так, словно и сам участвовал в Куликовской битве, мой совет – оставь его в покое. С ним все в порядке. Вот если видишь пустые глаза, если, кроме компьютерных игр, дитятку ничего не волнует, тогда надо бить тревогу. Точнее, пытаться нащупать, найти то, что ему может понравиться. Не ленись водить его на дополнительные занятия, на выставки, в театры. Вы обязательно вместе найдете, что ему интересно, и не обязательно этот интерес будет связан со школьной программой. Но и бог с ней, с программой. Тебе важно а) подготовить ребенка к взрослой жизни, где

Подготовить ребенка к взрослой жизни и сохранить с ним доверительные отношения важнее, чем вырастить отличника.

успеха добиваются те, у кого «горит глаз» и б) сохранить с ним доверительные, дружеские отношения.

Слово моей читательнице Жене, матери замечательного, веселого старшеклассника Саши, талантливого, подающего большие надежды художника и – двоечника.

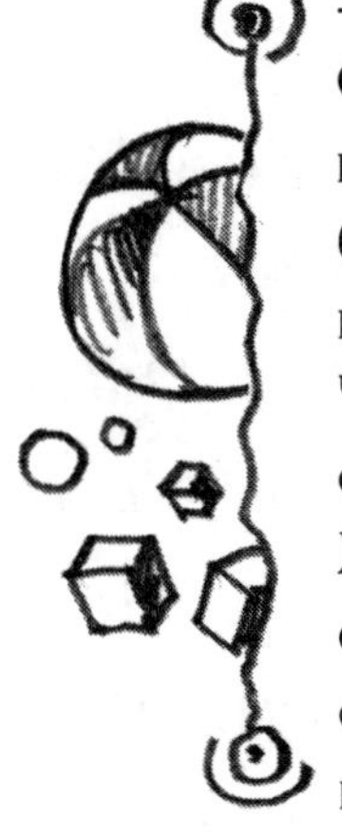

— Саша всегда очень плохо учился. С первого класса я ходила в школу как на работу. «Маленькое родительское собрание» — я, сын и учитель (директор) — проводилось несколько раз в неделю. Чего он только не вытворял! В страшном сне не представишь!

Ходил по классу (все время сидеть на одном месте — скучно), отказывался писать палочки-крючочки в прописях (неинтересно!), однажды, классе в пятом, на перемене спрятался в стенной шкаф и в самый разгар урока вышел со шваброй наперевес. А «дикие игрища на переменах», как называла это директриса! Вот верите — я просто не знала, что делать! С одной стороны, мне было понятно, что Саша просто очень подвижный ребенок. Да, неусидчивый, да, не хочет учиться. Но учителя постоянно намекали чуть ли не на патологию, задержку психического развития. Мы с Мишей, моим мужем, постоянно вели с сыном беседы — длинные, нудные. Лично мне самой было противно себя слушать. Саша выслушивал их и немедленно включал вечный двигатель — несся куда-то, придумывал какие-то игры. Заставить его сидеть на месте было невозможно.

Мы решили, что я уйду с работы и полностью займусь сыном. Буду ходить за ним шаг в шаг, делать уроки — одним словом, воспитывать.

И началось. Усадить Сашу за уроки было невозможно, сидеть рядом с ним, когда он их делает, — пытка. Сын раскачивался на стуле, смотрел в окно, с радостью бежал к телефону, если кто-то имел неосторожность позвонить. И потом — он никогда на знал, что задано, так что каждый раз мне приходилось звонить какой-нибудь прилежной девочке, которая бодро рапортовала, какие завтра будут уроки и что надо сделать. Я люблю все делать быстро, поэтому меня этот бесконечный процесс приго-

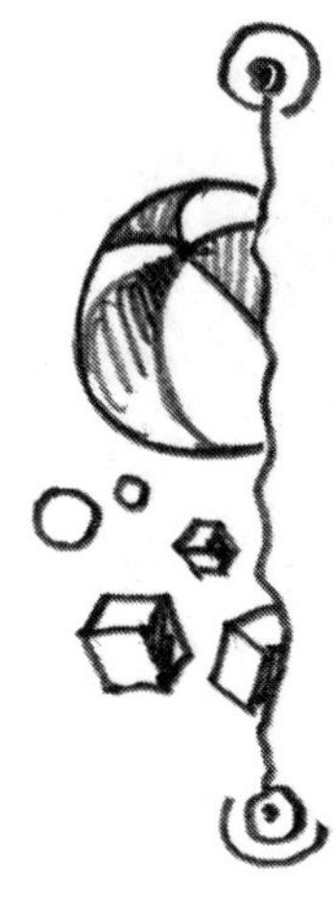

товления уроков от обеда и до заката несказанно раздражал. Иногда мы ложились спать после двенадцати. Бывало и такое, что я отправляла Сашу спать, а сама за него докрашивала контурные карты, дописывала сочинения или решала задачи. Но и переписать своей рукой мною написанное он не хотел. Ему было неинтересно. Ужасно было не только то, что, несмотря на мою жертву (я очень люблю свою работу и засесть дома для меня было настоящим испытанием), ситуация не менялась. Более того — она усугублялась тем, что мы с сыном стали врагами. Я в его глазах была теперь не мамой, с которой он дурачился, играл, гулял, без конца болтал обо всем, а карательным органом, человеком, который над ним надзирает, заставляет. Принуждает и — наказывает. Теряя терпение, я могла и отшлепать его, и лишить вечерних мультиков, и запретить, например, пойти гулять в выходные. Однажды даже отменила день рождения, на который он уже позвал ребят. А тут еще наша жизнь с Мишей пошла наперекосяк. Он приходил домой и уже от лифта слышал наши крики: я кричала на Сашу, Саша то скандалил, то плакал. Муж перестал спешить домой. По-моему, даже появилась дама, готовая его утешить. Во всяком случае у него участились командировки, корпоративные выезды на природу, куда жены не приглашались, количество работы вдруг резко возросло.

Этот ад продолжался бы до одиннадцатого класса, и неизвестно, чем бы закончился. Спас нас случай. Точнее, человек, еще точнее — наш с Мишей школьный приятель Ваня. Окончив пединститут, Иван стал работать в школе, и не в какой-нибудь столичной, а в самой что ни на есть провинциальной — в Угличе. Он там служил в армии, влюбился, женился и осел уже навсегда. В Москву Ванечка приехал по делам и зашел к нам в гости. Конечно, я попыталась держать себя в руках, при госте не орать и вообще решила с Сашей в тот день уроки не делать: сделает сам — хорошо, нет — да и бог с ними!

Ваня шумный, невероятно обаятельный. Представляю, как его любят дети. Саша к нему даже не вышел — сидел как прикованный за столом и уже который час пытался сделать задание по окружающему миру. Ваня со словами: «А ну, предъявите наследника, где вы его прячете!» — вошел в «пыточную», и оттуда

послышались голоса — рокочущий Ванин и веселый, что-то возбужденно рассказывающий — Сашин. Через полчаса или даже больше (я успела сделать салат и поставить в духовку мясо) Саша, веселый, довольный, выбежал из комнаты. Вслед за ним с рабочей тетрадью по окружающему миру шел наш Ванечка.

— А мы с дядей Ваней все сделали! — торжествующе объявил Саша. — А еще он сказал, что я отлично рисую.

Я не придала значения этим словам, выхватив только первую часть фразы, и с облегчением подумала, что, слава богу, не надо будет ночью, после Ваниного ухода, разбираться с этим ненавистным мне предметом. Ваня пришел ко мне на кухню, в руках у него была та же тетрадь.

— Я понимаю ваши проблемы. Увы, таких гиперактивных детей сейчас — больше половины.

— Да, а наша училка говорит, что Саша один такой — ненормальный. Что все дети как дети, а по нему коррекционный класс плачет. — И тут я совершенно неожиданно для самой себя разрыдалась. Обычно я не показываю другим эмоции, пытаюсь держать в себе. Но Ваня был таким родным, таким с детства любимым, что я уткнулась к нему в плечо и сквозь слезы все рассказала — и про проблемы с учебой, и про то, что пришлось уйти с работы и про то, что веду себя с ребенком как мегера, как надзирательница какая-то, а поделать ничего не могу. И про мужа и его поздние приходы и командировки рассказала.

Ваня меня не прерывал, гладил по голове и очень трогательно вытирал мне слезы подвернувшимся под руку посудным полотенцем. Когда я успокоилась, он очень спокойно сказал:

— Я знаю, что делать.

— Да я что только не пробовала! — Мне не верилось, что вот так, за один день, можно развести руками мою беду, принявшую масштабы вселенской катастрофы.

— Послушай меня. — Ваня усадил меня на стул и сел рядом. — У тебя, то есть у вас с Мишкой — талантливый ребенок. Вот, посмотри. Саша офигенно рисует. — Ваня открыл последнюю страницу тетради, где Саша имел обыкновение в задумчивости рисовать рожицы, каких-то компьютерных персонажей, домики и прочую, с моей точки зрения, ерунду. — У него есть чувство перспек-

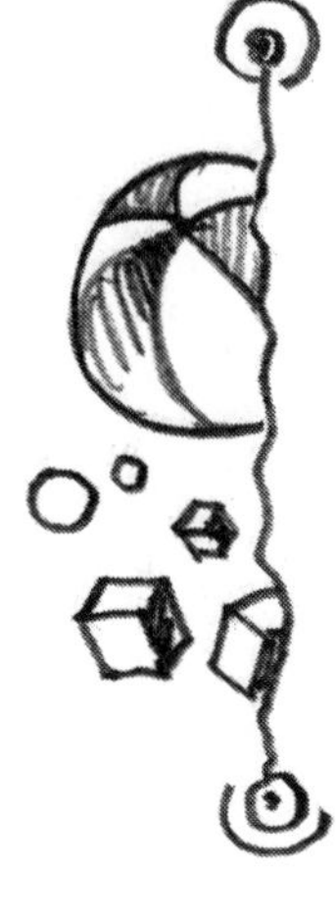

тивы, он подмечает очень интересные детали. Отведи его в художественную студию — и увидишь, он изменится. И у тебя все изменится. Не сразу, конечно, но достаточно быстро.

— Ага, отличником станет.

— Нет, отличником он не будет никогда, — серьезно ответил Иван. — Но разве тебе не все равно, какая у него оценка по математике и окружающему миру, если у него будет любимое дело. У тебя творческий мальчик. Не слушай ты этих злобных теток в школе, не ори на него, не дай искалечить ему психику. И вам с Мишкой заодно.

И я послушалась Ивана. Нашла художественную студию. На первом же занятии Саша спокойно, не вертясь, просидел почти два часа и вышел довольный собой.

Его первый раз похвалили.

Сын рисовал взахлеб. Преподавательница не только учила их технике, но и рассказывала о художниках, водила в музеи. Я наблюдала, как мой гиперактивный Саша, по которому «плачет коррекционный класс», сидит вместе со всеми на полу в Греческом дворике в Пушкинском музее и сосредоточенно слушает рассказ об античном искусстве, и сердце мое пело. Я поверила, что все наладится. И правда — как только я отстала от Саши, прекратила надзирать, карать и поучать, дома стало спокойно. Теперь Миша приходил домой, слышал наш с сыном смех и присоединялся к нашей компании. Я видела, что он гордится сыном. И мной. А однажды вечером, когда Саша уже спал, Миша подошел ко мне, обнял и сказал:

— Знаешь, Женька, я тебя люблю.

И я поняла, как-то почувствовала, что «там у него все». Мы опять вместе. Мы семья.

Саша до сих пор неважно учится, особенно большие проблемы у него с точными науками. Но преподаватель из Строгановки, который готовит его к поступлению, очень его хвалит, говорит, что он подает большие надежды. А я все время думаю: как вовремя к нам тогда приехал Иван и как важно услышать собственного ребенка.

И конечно, больной вопрос для всех родителей школьников, особенно младшеклассников, — делать или не делать с ребенком уроки. Мой ответ однозначный — не делать! Поверьте – я это говорю совершенно ответственно и с высоты своего опыта. Никогда я не сидела с ребенком рядом, не следила, как он делает уроки. Если ему было что-то непонятно – он спрашивал, конечно, и мы с мужем ему помогали, объясняли.

Проблема современных детей – гиперактивность, неумение сосредоточиться. Так как же, скажите, пожалуйста, он научится сосредоточиваться, если на стуле рядом с его письменным столом сидит мамаша и монотонно повторяет: «Пиши. Читай. Не сутулься». Конечно, его это раздражает и отвлекает.

Не надо делать уроки с ребенком!

Я знаю мам, которые открывают тетрадь, готовят письменные принадлежности, сажают ребенка за стол и удерживают его там, как заключенного. Только что рукой его в этой тетради не водят.

Эти мамы всегда в курсе – что задали, кого сегодня спрашивали, чем один учебник лучше другого.

Они готовы часами рассуждать о том, как изменилась школьная программа, что у ребенка «буквально ни на что не остается времени». «Подумайте, – восклицают они, – мы вчера делали уроки до самого вечера». В общем, этот тип не нов. Помните чеховскую Душечку? Вот это современные Душечки и есть – как правило, неработающие, вполне обеспеченные дамы, которым некуда приложить свою активность и негде реализоваться социально.

Одна моя приятельница так делала уроки до восьмого класса! Под конец она натурально превратилась в надсмотрщика и сидела рядом с ребенком с полотенцем – чуть он делал попытку дезертировать, она небольно, но ощутимо била его. Абсурд? Еще какой! Хорошо, что мальчик оказался с железными нервами и неплохим чувством юмора – превращал все в шутку.

И еще – проследите за собой. Встречая чадо из школы, какой вопрос вы задаете в первую очередь? «Что ты сегодня получил?» Никогда так не делайте. Вот представьте – приходит муж с работы, а вы – руки в боки и давай: хорошо работал? Все задачи выполнил? Начальник тобой доволен?

Как вы думаете – долго продержится ваш брак? Вот то-то и оно. Так зачем же пользоваться тем, что ребенок с вами развестись не может?

Общайтесь по-человечески: расспросите, что он видел, что прочитал нового. Поделитесь какими-то своими новостями – вы же ему не тюремщик, не надзиратель. И интересы вашего ребенка наверняка не ограничиваются школой – так и ваше общение не надо ограничивать вопросами об оценках.

СОВЕТ ОДИННАДЦАТЫЙ, И ПОСЛЕДНИЙ

Балуйте своих детей

Детство проходит быстро. Еще вчера ты держала ребенка за пухлую ручонку, когда он неуверенно делал первые шаги. А сегодня покупаешь костюм или платье к выпускному вечеру. И не за горами день, когда станешь бабушкой.

Наслаждайся каждой минутой, проведенной с ребенком. Не думай о нем как об объекте воспитания – просто люби и балуй. Потому что воспитателей – вагон и тележка, а вот любить и баловать, кроме родителей и бабушек-дедушек, некому. Когда говорят, что детей надо воспитывать в строгости, мне есть что возразить, и есть доказательство моей правоты – мой собственный сын.

Воспитателей – вагон и тележка, а вот любить и баловать, кроме родителей и бабушек-дедушек, некому.

И еще – не жалей времени на общение, на задушевные разговоры. Знаю по собственному опыту, как это важно. В любое время, утром, днем, ночью, когда бы сыночек ко мне ни подходил, чем бы я ни была занята – всегда откладывала все дела и внимательно слушала сына. Потому что понимала: сейчас откажу, больше он, скорее всего, помощи не попросит. Сегодня сын со мной откровенен – насколько это возможно. И я очень ценю его доверие.

И никогда не считала его увлечения ерундой, не заслуживающей внимания. Казалось, эту безумную музыку слушать невозможно! А я слушала... И ездила с ним на Арбат, в магазин всех этих молодежных причиндалов, покупала черные майки, ботинки-гриндерсы, диски, банданы, косухи.

А потом мы гуляли с ним по Арбату, заходили в кафешку и – были счастливы! Надеюсь, что оба.

Конечно, когда он подрос, то стал проводить больше времени с друзьями, а потом и с девушками – они, кстати, тоже всегда бывали у нас дома. И всех – ну или почти всех – я старалась принимать радушно и душевно.

Моя бывшая коллега Светлана, когда рассказывала о своем детстве, всегда говорила: «Воспитывали нас с сестрой в строгости». Потом, в минуту откровенности, она поделилась: родители очень боялись, что дети «сядут на голову и отобьются от рук», поэтому никогда не слушали возражений, никогда не считались с мнением Светланы и ее сестры, даже если это касалось незначительных моментов – куда пойти, что надеть и так далее.

Одним словом, воспитание сводилось к муштре. Могли под горячую руку «всыпать как следует». И моя коллега, женщина вполне успешная, ухоженная, счастливая в личной жизни, рассказывая это, изменилась в лице и с какой-то мучительной ненавистью произнесла: «Никогда им этого не прощу! Никогда!»

Я знаю, что Светлана заботится о родителях, покупает им путевки в санаторий, навещает их. Внешне вполне нормальные, душевные отношения. Но какой же камень она носит в душе! И как ей, наверное, тяжело живется.

А главное, как непросто ей было, наверное, самой пойти другим путем и обеспечить собственным детям другое, более счастливое, детство.

Мы один раз выезжали все вместе за город на несколько дней, и я была поражена, как терпеливо, дружелюбно Светлана разговаривает с собственной дочерью. Верочка у нее из тех детей, которых называют капризулями. Ей вечно все не так – река мокрая, солнце горячее, трава щекотит ножки, комары кусают, мухи жужжат.

«Не хочу, не буду, поедем отсюда», – только и слышали все от этой пятилетней девочки. Ей-богу, даже мое терпение не выдержало бы. А Светлана как ни в чем не бывало рассказывала дочери сказки, чтобы ее отвлечь, играла с ней, разговаривала. Никаких тебе страшилок про милиционера, который «придет и заберет», никаких угроз и криков.

И это не потакание капризам, а разумное и спокойное отношение к ребенку. Такое терпение окупится сторицей — не сомневаюсь. И у Верочки не будет камня на сердце, она не станет припоминать маме обиды.

Недавно я разговаривала с девушкой, которая делилась со мной своими страхами:

«Говорят, что воспитать ребенка очень сложно. Мама рассказывала, что, когда я родилась, она несколько лет не спала по ночам. Стала злой и раздражительной, с отцом чуть не развелась. И потом – я смотрю на их свадебные фото: она такая тоненькая, воздушная. А после моего рождения растолстела, изменилась».

«И ведь все правда, – думала я, слушая это юное создание. – И характер от недосыпа портится, и фигура бывает расплывается. Да что там – семьи рушатся, молодые родители не выдерживают трудностей. А ведь все равно – все женщины, за редким исключением, мечтают о материнстве. Почти все считают рождение детей главным и самым счастливым событием своей жизни. Потому что все: и недосып, и размолвки с мужем, и страдания из-за испорченной фигуры – ерунда по сравнению со счастьем, когда взрослый сын говорит: «Мама, я тебя люблю». Или, рассказывая о девочке, которая ему очень нравится, вскользь замечает: «А еще она очень похожа на тебя». Или когда подросшая дочь делится с тобой своими секретами, и ты в ней узнаешь себя – такую романтичную, уверенную, что впереди только счастье».

Я искренне желаю вам, мои читательницы, чтобы это предчувствие счастья не оставляло вас никогда. И не бойтесь трудностей – их можно преодолеть, когда знаешь, ради чего.

ОГЛАВЛЕНИЕ

Литературно-художественное издание

ЗА ЧУЖИМИ ОКНАМИ
Советы мудрой свекрови

Мария Метлицкая

ЦВЕТЫ НАШЕЙ ЖИЗНИ

Ответственный редактор *Ю. Раутборт*
Младший редактор *А. Семенова*
Художественный редактор *П. Петров*
Технический редактор *Г. Романова*
Компьютерная верстка *А. Щербакова*
Корректор *О. Степанова*

ООО «Издательство «Э»
123308, Москва, ул. Зорге, д. 1. Тел. 8 (495) 411-66-86; 8 (495) 956-39-21.

Өндіруші: «Э» АҚБ Баспасы, 123308, Мәскеу, Ресей, Зорге көшесі, 1 үй.
Тел. 8 (495) 411-68-86; 8 (495) 956-39-21.
Тауар белгісі: «Э»
Қазақстан Республикасында дистрибьютор және өнім бойынша арыз-талаптарды қабылдаушының өкілі «РДЦ-Алматы» ЖШС, Алматы қ., Домбровский көш., 3«а», литер Б, офис 1.
Тел.: 8 (727) 251-59-89/90/91/92, факс: 8 (727) 251 58 12 вн. 107.
Өнімнің жарамдылық мерзімі шектелмеген.
Сертификация туралы ақпарат сайтта Өндіруші «Э»

Сведения о подтверждении соответствия издания согласно законодательству РФ о техническом регулировании можно получить на сайте Издательства «Э»

Өндірген мемлекет: Ресей
Сертификация қарастырылмаған

Подписано в печать 26.10.2015.
Формат 60x84 1/16. Гарнитура «NewBaskerville».
Печать офсетная. Усл. печ. л. 11,2.
Тираж 15 000 экз. Заказ № 1416.

Отпечатано в ОАО «Можайский полиграфический комбинат».
143200, г. Можайск, ул. Мира, 93.
www.oaompk.ru, www.оаомпк.рф тел.: (495) 745-84-28, (49638) 20-685

Оптовая торговля книгами Издательства «Э»:
142700, Московская обл., Ленинский р-н, г. Видное,
Белокаменное ш., д. 1, многоканальный тел.: 411-50-74.

По вопросам приобретения книг Издательства «Э» зарубежными оптовыми покупателями обращаться в отдел зарубежных продаж
International Sales: International wholesale customers should contact Foreign Sales Department for their orders.

По вопросам заказа книг корпоративным клиентам, в том числе в специальном оформлении, *обращаться по тел.: +7 (495) 411-68-59, доб. 2115/2117/2118; 411-68-99, доб. 2762/1234.*

Оптовая торговля бумажно-беловыми и канцелярскими товарами для школы и офиса:
142702, Московская обл., Ленинский р-н, г. Видное-2,
Белокаменное ш., д. 1, а/я 5. Тел./факс: +7 (495) 745-28-87 (многоканальный).

Полный ассортимент книг издательства для оптовых покупателей:
В Санкт-Петербурге: ООО СЗКО, пр-т Обуховской Обороны, д. 84Е.
Тел.: (812) 365-46-03/04.
В Нижнем Новгороде: 603094, г. Нижний Новгород, ул. Карпинского, д. 29,
бизнес-парк «Грин Плаза». Тел.: (831) 216-15-91 (92/93/94).
В Ростове-на-Дону: ООО «РДЦ-Ростов», пр. Стачки, 243А.
Тел.: (863) 220-19-34.
В Самаре: ООО «РДЦ-Самара», пр-т Кирова, д. 75/1, литера «Е».
Тел.: (846) 269-66-70.
В Екатеринбурге: ООО«РДЦ-Екатеринбург», ул. Прибалтийская, д. 24а.
Тел.: +7 (343) 272-72-01/02/03/04/05/06/07/08.
В Новосибирске: ООО «РДЦ-Новосибирск», Комбинатский пер., д. 3.
Тел.: +7 (383) 289-91-42.
В Киеве: ООО «Форс Украина», г. Киев,пр. Московский, 9 БЦ «Форум».
Тел.: +38-044-2909944.

Полный ассортимент продукции Издательства «Э» можно приобрести в магазинах «Новый книжный» и «Читай-город».
Телефон единой справочной: 8 (800) 444-8-444.
Звонок по России бесплатный.

В Санкт-Петербурге: в магазине «Парк Культуры и Чтения БУКВОЕД»,
Невский пр-т, д.46. Тел.: +7(812)601-0-601, www.bookvoed.ru/

Розничная продажа книг с доставкой по всему миру.
Тел.: +7 (495) 745-89-14.

ISBN 978-5-699-85167-6

МАША
ТРАУБ
РУКАМИ НЕ ТРОГАТЬ
ТРАУБ

МАША
ТРАУБ
ТЕТЯ АСЯ, ДЯДЯ ВАХО И ОДНА СВАДЬБА
ТРАУБ

МАША
ТРАУБ
Я НИКОМУ НИЧЕГО НЕ ДОЛЖНА
ТРАУБ

МАША
ТРАУБ
ПЬЯНАЯ СТЕРЛЯДЬ

ДНЕВНИК